P9-BUI-440

YU-GI-OH

24

Kazuki TAKAHASHI

高橋和希

kana

PRÉSENTATION DES PERSONNAGES ET RÉSUMÉ DES ÉPISODES PRÉCÉDENTS

LES FORCES DES TÉNÈBRES ATTIRENT LES MAUVAIS ESPRIT.

YÛGI EST RESTÉ INVAINCU GRÂCE AU POUVOIR DE SON PUZZLE MILLÉNAIRE. JUSQU'AU JOUR OÙ SON CHEMIN A CROISÉ CELUI DE SETO KAIBA, DIRECTEUR DE LA KAIBA CORPORATION. S'ENSUIVRONT DEUX DUELS ÉPIQUES AU JEU MAGIC AND WIZARDS, QUE YÛGI GAGNERA À LA FORCE DE SON TALENT. DEPUIS, SETO KAIBA NOURRIT UNE TERRIBLE RANCUNE, UNE RIVALITÉ POUR L'ÉTERNITÉ EST DÉFINITIVEMENT INSTALLÉE ENTRE CES DEUX PERSONNAGES... YÛGI ET SON AMI JÔNO-UCHI IRONT JUSQU'À AFFRONTER ET VAINCRE PEGASUS, LE GÉNIAL INVENTEUR DU JEU MAGIC AND WIZARDS, LORS D'UN TOURNOI DOTÉ D'UNE PRIME COLOSSALE ! CET ÉPISODE A PAR AILLEURS DÉFINITIVEMENT SCELLÉ LA COMPLICITÉ ENTRE YÛGI ET SON DOUBLE.
KAIBA ORGANISE UN GIGANTESQUE TOURNOI NOMMÉ BATTLE CITY QUI VIENT DE COMMENCER DANS LA VILLE DE DOMINO ! JÔNO-UCHI ET YÛGI REMPORTENT DE NOMBREUSES VICTOIRES. LE PREMIER DUEL DE LA FINALE OPPOSE BAKURA À YÛGI. BAKURA DONT LA PERSONNALITÉ EST HANTÉE PAR UN ESPRIT MALÉFIQUE FAIT SOUFFRIR YÛGI GRÂCE À UN REDOUTABLE JEU COMPOSÉ DE CARTES OCCULTES...

LA MYTHIQUE CARTE RARE

CELUI QUI RÉUSSIRA À RÉUNIR LES TROIS CARTES DIVINES SERA SACRÉ ROI. SUR LES TROIS CARTES EXISTANTES, L'UNE EST EN POSSESSION D'ISIS ET LES DEUX AUTRES... SONT ENTRE LES MAINS MALÉFIQUES DU GROUPE DES GHOULS, UNE ASSOCIATION DE MALFAITEURS QUI VOLENT ET MANIPULENT LES CARTES DE JEU RARES ! ISIS A CONFIÉ SA CARTE, "LE SOLDAT GÉANT DE L'OBÉLISQUE", À KAIBA DE CRAINTE QUE SON FRÈRE MARIK NE DISPOSE DU POUVOIR DE CES CARTES RÉUNIES ET NE DEVIENNE INCONTRÔLABLE. KAIBA ORGANISE ALORS LE TOURNOI BATTLE CITY ET SE LANCE À CORPS PERDU DANS LA BATAILLE. ET POUR LA PREMIÈRE FOIS, MARIK, KAIBA ET YÛGI SE RETROUVENT POUR UN DUEL ENFLAMMÉ. LEQUEL DES TROIS DEVIENDRA ROI ? YÛGI VA-T-IL RETROUVER SA MÉMOIRE DISPARUE ?

LA MÉMOIRE DISPARUE DU ROI

LE MYSTÈRE DES OBJETS MILLÉNAIRES A ÉTÉ LEVÉ LORS DES RENCONTRES DE YÛGI AVEC PEGASUS DANS UN PREMIER TEMPS, ET ENSUITE AVEC L'ÉNIGMATIQUE ISIS. LES SEPT OBJETS MILLÉNAIRES SONT DESTINÉS À REJOINDRE UNE TABLETTE FUNÉRAIRE CONSERVÉE DANS UN SANCTUAIRE SOUTERRAIN EN ÉGYPTE. IL SUFFIRA DE RASSEMBLER CES OBJETS POUR FAIRE RESSUSCITER LA MÉMOIRE DU ROI, ENFERMÉE DANS CETTE TABLETTE ! LES DESSINS FIGURANT SUR CETTE TABLETTE REPRÉSENTENT LE ROI, SOUS LES TRAITS DU DOUBLE DE YÛGI ! LE 6e OBJET MILLÉNAIRE, QUI PERMET DE PRÉDIRE L'AVENIR, EST ENTRE LES MAINS D'ISIS. CETTE DERNIÈRE A PRÉDIT ÉGALEMENT À YÛGI QU'IL LUTTERA DURANT LE TOURNOI BATTLE CITY CONTRE CELUI QUI DÉTIENT LE 7e OBJET...

YU-GI-OH !

Yu-Gi-Oh!

Volume 24

Sommaire

Battle 206 UN DUELLISTE EN ACIER TREMPÉ !!

EH OUI !
LORSQUE LES CINQ LETTRES DU MOT "DEATH" SERONT RÉUNIES...
YÛGI !! JE VAIS GAGNER ET TOI, TU IRAS REJOINDRE LES TÉNÈBRES !!
DONG
ZRU
ZRU
URKS...
C'EST DONC ÇA, SON JEU ULTRA-OCCULTE... !
MÊME S'IL ME RESTE DES POINTS DE VIE... UNE FOIS LE MOT "DEATH" COMPOSÉ, JE PERDS LA PARTIE !
QUE FAIRE POUR ME DÉLIVRER DE CET ENSORCELLEMENT ?!
TU PEUX CONTINUER À RUMINER TES MAUVAISES PENSÉES...
IL NE ME RESTE PLUS QUE TROIS TOURS !!
HYAHHAHAAA

Battle 206
UN DUELLISTE EN ACIER TREMPÉ !!

EARTH POUND SPIRIT
Attaque 500
Défense 2000
MAGNET WARRIOR GAMMA γ
Attaque 1500
Défense 1800
BLACK MAGICIAN GIRL
Attaque 2500
Défense 1700
KRIBOW
Attaque 300
Défense 200

BON... À MOI DE JOUER !!
JE VAIS LUI SORTIR UNE CARTE BIEN EFFRAYANTE !

VLAF
JE MASQUE UNE CARTE ET JE TERMINE MON TOUR !!

MAIS BON... MÊME SANS RIEN FAIRE, TU N'ÉCHAPPERAS PAS À LA MORT.
KRULU KRULUU...

ZRUU
URKS !!
ZRUU
ZRUU

ALORS, YÛGI ?
C'EST TON TOUR...

GROOOO
YÛGI !!!
BAKURA LE POUSSE À BOUT...
IL FAUT QU'IL RÉAGISSE CONTRE CETTE MAUDITE PLANCHE !!

L'UN DES MONSTRES DE YÛGI EST PARASITÉ PAR UN ESPRIT...
S'IL ATTAQUE SANS PRENDRE DE PRÉCAUTIONS, IL VA SUBIR DES DÉGÂTS !
WOOOW
EN PLUS, ÇA VA PERMETTRE À BAKURA DE REPRENDRE DES POINTS DE VIE !

MAIS S'IL NE FAIT RIEN, IL VA PERDRE DANS LES TROIS PROCHAINS TOURS !!

WOOOW
JE NE M'INQUIÈTE PAS... C'EST YÛGI !
IL VA SÛREMENT TROUVER UNE SOLUTION POUR RESSUSCITER !

GROO GROOOO

IL NE RÉUSSIRA PAS !
MON COMBO OCCULTE EST INFAILLIBLE !!!

À MOI !
ÉHÉ
KRULI KRULI...

HYUUU
LA MARIONNETTE VA BIENTÔT CHOISIR UN NOUVEAU MONSTRE DANS TON CAMP !!

LA CIBLE DÉSIGNÉE EST..!
"BLACK MAGICIAN GIRL"!!
HYUUN
KRUU KRUU... YÛGI ! J'IMAGINE QUE TU NE TE DOUTES DE RIEN...
ZRUU
UHMM... LEQUEL DE MES MONSTRES S'EST FAIT PARASITER ...?
ZRUU
ZRUU
ZRUU
ZRUU

ZRUU ZRUU
KRIBOW, NON...
KRIII
BAKURA DOIT SAVOIR QUE KRIBOW N'EST PAS UN MONSTRE D'ATTAQUE...
ÇA DOIT ÊTRE LE MAGNET WARRIOR OU LA MAGICIENNE...
À CAUSE DE SA CARTE "LA PORTE DES TÉNÈBRES" ET DE SA MAGIE PERPÉTUELLE... JE NE VAIS POUVOIR ATTAQUER QU'UN SEUL MONSTRE...
LA PORTE DES TÉNÈBRES (carte de magie perpétuelle)
Le joueur ne peut plus attaquer qu'un seul monstre à la fois.
ZRUU
NON...
JE VAIS PASSER CE TOUR SANS ATTAQUER...
IL NE ME RESTE PLUS QUE QUELQUES TOURS...
ZRUU
CE N'EST PAS EN M'ÉCHAPPANT QUE JE VAIS BATTRE BAKURA !!
JE VAIS PARIER !!
ZDOO
J'ATTAQUE AVEC MAGNET WARRIOR !!!
ZDOO ZDOO

KRUU KRUU ...
LA CARTE PIÈGE ENTRE EN ACTION !!
ZUM
COMMENT ?!
LE SILENCIEUX DARK SPIRIT (carte piège perpétuelle)
Elle se déclenche à l'annonce d'une attaque de l'adversaire ! Dark spirit peut déplacer l'ordre d'attaque sur un autre monstre.
DOM
LE SILENCIEUX DARK SPIRIT !!
BLAM
IL SE FIXE SUR UN MONSTRE, QU'IL REND SILENCIEUX, ET DÉPLACERA L'ORDRE D'ATTAQUE SUR UN AUTRE DE TES MONSTRES !!
GROOOOOW
DARK SPIRIT, PLACE-TOI SUR LE MAGNET WARRIOR !!

ZRUU
ZRUU
ZRUU
HYUUN
ZRUU
ZRUU
MAGNET WARRIOR EST PLONGÉ EN PLEIN MUTISME ...
UKRS !!!
ET MON ORDRE D'ATTAQUE S'EST TRANSFÉRÉ SUR BLACK MAGICIAN GIRL !!
ZDOO ZDOOO
ZDOO
...!!
MAIS ...
TA MAGICIENNE EST PARASITÉE PAR LA MARIONNETTE...
ELLE VA T'ATTAQUER !!!

GaJooosh
SPIRIT BURN
ZRUU
ZRUU
URKS !!
ZRUU
YÛGI
Points de vie
750
DOM
ET J'EN PROFITE POUR REGONFLER MES POINTS DE VIE !!
HYAA HA HAAA
BAKURA
Points de vie
3700
MERDE...! SON COMBO OCCULTE EST PARFAIT...
COMMENT FAIRE POUR LE BATTRE ?!

CE N'EST PAS TOUT !
DOM
LA PLANCHE VA DÉSIGNER UNE NOUVELLE LETTRE !!
LA LETTRE A DU MOT "DEATH"!!
DEA

ZDOO
GLOUPS
ZDOO
IL NE RESTE QUE DEUX TOURS !!
ZDOO

...!!
JE NE LE CROYAIS PAS CAPABLE D'UN TEL COMBO...
QUI EST VÉRITABLE-MENT BAKURA ?!
LES ATTAQUES DE YÛGI SONT STOPPÉES !!!
SI ÇA CONTINUE, IL VA MOURIR !!!!!

NON !!!
JE SAIS QUE YÛGI EST CAPABLE DE RENVERSER LA SITUATION !!
IL EN FAUT PLUS POUR BRISER UN DUELLISTE EN ACIER TREMPÉ !!!!

GROOOON
YÛGI... TU ES FINI...
MON COMBO NE COMPORTE AUCUNE FAILLE !
KRUU KRUU KRUU

YÛGI, TU NE DOIS PAS PERDRE !!!
TU ES LE MEC QUE JE DOIS AFFRONTER EN FINALE !!

RE-FLE-CHIS...
IL DOIT RESTER UNE SOLUTION ...!!

MON PROBLÈME, C'EST LE MONSTRE INVISIBLE QUI PARASITE MON JEU !!
À CAUSE DE SA CARTE, L'UN DE MES PROPRES MONSTRES PEUT M'ATTAQUER ET RÉDUIRE MES POINTS DE VIE...

SI JE NE ME DÉBARRASSE PAS DE SA MARIONNETTE ET...
DU "SILENCIEUX DARK SPIRIT"...
JE N'AI AUCUN MOYEN DE GAGNER !!

LA DESTRUCTION EN CHAÎNE
(carte piège)
Ennemie ou alliée. Dès qu'une carte dont le niveau d'attaque est inférieur à 2000 points est jouée dans la partie, ce piège se déclenche et détruit toutes les cartes inférieures à 2000 points, y compris celles qui sont dans le tas de cartes !

ATTENDS...!!

LA DESTRUCTION EN CHAÎNE
(piège)

IL RESTE UNE SOLUTION !!
VLAF

JE MASQUE DEUX CARTES ET...
... JE TERMINE MON TOUR !!
BLAM
KERPS...
MÊME EN TE SACHANT PRESQUE MORT, TU CONTINUES À TE DÉBATTRE...
OUAIS...
JE NE VEUX PAS MOURIR !!!
QUELLE QUE SOIT MA SITUATION, BONNE OU MAUVAISE, JE VEUX SURVIVRE À CE TOUR !
JE CONTINUE À CROIRE AU TOUR SUIVANT !!
GROOOOW
CONTINUER À CROIRE ?! TU ME FAIS MARRER !!!
À MOI MAINTENANT !!
MÊME SANS RIEN FAIRE, TU VAS MOURIR...
IL TE RESTE DEUX TOURS...
... ET À PRÉSENT, TU VAS SOUFFRIR SOUS MES YEUX.
CELUI-CI EST TERMINÉ !!

À MOI DE JOUER !
VLAF

HE HE HE...
BAKURA... JE VAIS PROFITER DE CES DEUX TOURS POUR DÉFAIRE TON COMBO !

COM-MENT ?!
PAS POS-SIBLE !!!
YÛGI !!!
YÛGI ! JE SUIS IMPATIENT DE VOIR TA TACTIQUE !
FU!!

J'AI UNE POSSIBILITÉ AVEC CETTE CARTE !!
UN DUELLISTE POSSÈDE AUTANT DE POSSIBILITÉS QU'IL A DE CARTES EN MAIN !!
VLAF
EN VOILÀ DÉJÀ UNE !!

DOM
UNE CARTE DE MAGIE "LA COLLECTE DES CARTES" !!!
LA COLLECTE DES CARTES (carte de magie)
Elle renvoie toutes les cartes en jeu dans le tas. Le joueur les mélange et en tire 5 nouvelles.
GROOO
TOUTES MES CARTES RETOURNENT DANS LE TAS.
GROO
GROO
LA COLLECTE DES CARTES ?!
VYUUUN
HYUUUU
TA MARIONNETTE VIENT DE PERDRE L'ENSORCELLEMENT QUE MA CARTE RENFERMAIT. DÉSORMAIS, IL ERRE DANS LE JEU !!
MÊME SI JE N'ARRIVE PAS À LE VOIR...
!
JE MÉLANGE LES CARTES ET J'EN TIRE CINQ NOUVELLES !!!

JE PLACE UNE CARTE EN POSITION D'ATTAQUE !!
CE MINABLE KRIBOW EN POSITION D'ATTAQUE ?!
DOM
KRiii KRiii KRiii
Oui...
TA MARIONNETTE VA LE PARASITER !!!
KRIBOW Attaque 300
HYUUUU
ヒュウウウ
GROOOW
VYUUN
ヒュ
!
!!
ENSUITE, À L'ANNONCE DE L'ATTAQUE, TON PIÈGE SE DÉCLENCHERA ET "LE SILENCIEUX DARK SPIRIT" VA SE GREFFER SUR KRIBOW !!

EN INVOQUANT KRIBOW, JE PEUX ENFIN DÉCLENCHER MA CARTE PIÈGE !!
BLAM
LA DESTRUCTION EN CHAÎNE (carte piège)
Ennemie ou alliée. Dès qu'une carte dont le niveau d'attaque est inférieur à 2000 points est jouée dans la partie, ce piège se déclenche et détruit toutes les cartes inférieures à 2000 points, y compris celles qui sont dans le tas de cartes !
LA DESTRUCTION EN CHAÎNE !!!
HYUUN
ZRUU
ZBAAAAM
LA DESTRUCTION EN CHAÎNE !!
ZRUU
ZRUU
KRIBOW VA DISPARAÎTRE AVEC LES DEUX SORTS QUI L'ENSORCELLENT ?!
GYAAAAA
Kriiii
EXACT...

KRIBOW, PAR-DONNE-MOI...
DEAT
ZDOOO
LA PLANCHE VIENT DE DÉSIGNER LA QUATRIÈME LETTRE !!!
IL NE TE RESTE PLUS QU'UN SEUL TOUR À VIVRE !!!
ZDOOO ZDOOO
GRRR
OUI, MAIS !!!
JE CROYAIS T'AVOIR PRÉVENU ...
IL NE ME FAUT QU'UN TOUR POUR ME DÉLIVRER DE TON COMBO OCCULTE !
DOM

Battle 207
UN TOUR FATAL !!

YÛGI ! TU ENTRES DANS TA PHASE TERMINALE !
DEAT
DOM
GOOD
OUI, PLUS QU'UN SEUL TOUR...
LA PLANCHE VIENT DE DÉSIGNER LA LETTRE T !!
LE MOT "DEATH" SERA ALORS COMPOSÉ. ET TOI, TU VAS MOURIR !!
BLAM
BAKURA, JE SUIS DÉSOLÉ ...
IL ME SUFFIT D'UN TOUR POUR BRISER TON COMBO !!
COM-MENT ?!

IL PRÉTEND DÉTRUIRE MON PUISSANT COMBO AU TOUR SUIVANT ?!

HE...
YÛGI
Points de vie
750

GRRR...
C'EST DU BLUFF ?...
OU BIEN...
BAKURA
Points de vie
3700

ZRUU
IL LUI RESTE ENCORE UNE CARTE MASQUÉE...
ZRUU
ZRUU
MAIS IL N'Y A PAS DE MONS-TRE.

IL NE LUI RESTE QUE 750 POINTS DE VIE...
SI JE SORS UN MONSTRE PUISSANT, JE PEUX GAGNER...

"EARTH POUND SPIRIT" N'A QUE 500 POINTS D'ATTAQUE...
QUELS SONT LES MONSTRES QUE J'AI EN MAIN ?

LE FANTÔME DU COMTE ET SES 2000 POINTS D'ATTAQUE !
LE FANTÔME DU COMTE ★★★★★

SI SON ATTAQUE RÉUSSIT, JE VAIS GAGNER...
MAIS...
SA CARTE MASQUÉE...
JE RISQUE DE TOMBER DANS UN PIÈGE...

KRULU KRULU...
BAKURA, JE NE TE SAVAIS PAS AUSSI TIMIDE...!!
COMMENT ?!
JE VAIS TE TUER !!
DU CALME ET ÉCOUTE...
YÛGI A TROUVÉ OÙ SE TROUVE LA FAILLE DANS TON COMBO OCCULTE...
UNE FAILLE...?!
MOI, JE CONNAIS LA CARTE QU'IL A MASQUÉE...

!!
ZRUU
ZRUU
ZRUU
BAKURA, LE CONCEPT DE TON COMBO EST TRÈS INTÉRESSANT !
FAIRE APPARAITRE CETTE PLANCHE ET TUER SON ENNEMI EN CINQ TOURS...
GOOD BYE
C'EST IMPLACABLE !!!

MAIS, POUR FAIRE SORTIR LA PLANCHE, IL Y A DES CONDITIONS À RESPECTER...
DEAT
IL FAUT QUE LE DARK NECROFIRE SE RETROUVE DANS LE CIMETIÈRE...
GOOD BYE

EN CLAIR...
S'IL QUITTE LE CIMETIÈRE ET REVIENT DANS LA PARTIE, LA PLANCHE DISPARAIT DU JEU.
LA RÉSURRECTION DES MORTS !!!

OUI...
C'EST LA CARTE QU'IL VA UTILISER !!!

ZRUU
ZRUU
ZRUU
...
MÊME S'IL ATTAQUE AVEC UN MONSTRE, EN DÉCLENCHANT LE PIÈGE, IL FERA DISPARAITRE DARK NECROFIRE !

PFFH...
JE N'AI PAS D'ANTI-SORT POUR ME PROTÉGER.
CE SATANÉ YUGI A RAISON, IL VA BRISER MON COMBO EN UN SEUL TOUR...
ALLEZ...
JE PENSE QU'IL TE RESTE ENCORE DE QUOI RÉAGIR...
LA FERME ! JE N'AI PAS BESOIN D'ÉCOUTER TES CONNERIES !
CASSE-TOI !

ZDOO ZDOO
À MON TOUR !!
ZDOO
GROOO
GROO
JE VAIS RENVERSER LA SITUATION AVEC CETTE CARTE !!
VLAF
JE PIOCHE !!!
YUGI !! AVEC CETTE CARTE, JE VAIS POUVOIR MAINTENIR MON COMBO !!!
HYAAAAHAHAAAA
KRULI KRULI
ZDOO
ZDOOO ZDOO

GROOOO
GROOOO
JE SACRIFIE "EARTH POUND SPIRIT"...
BAKURA, ESSAIE DONC DE M'ATTAQUER !!!
ET J'INVOQUE "LE FANTÔME DU COMTE"!!
OUI !!!
JE VAIS MARCHER DANS TA COMBINE DU PIÈGE !!
ZDOOO
ZDOOO ZDOOO
J'ATTAQUE DIRECTEMENT YÛGI !!
LE FANTÔME DU COMTE Attaque 2000

JE DÉCLENCHE MA CARTE MASQUÉE !!!
LA RÉSURRECTION DES MORTS
(carte de magie)
Le sort de magie s'empare de l'âme d'un monstre pour en faire un allié.
BLAM
AVEC CETTE CARTE DE MAGIE...
JE VAIS FAIRE REVENIR DANS LE JEU TON DARK NECROFIRE !!!
DOM
GROO
GROO
GROO

GROO GROO
NECROFIRE VA RESSUSCITER !!
GROO GROO
URKS...
SHUUUU
ET À CET INSTANT ...!
DARK NECROFIRE
Cette carte transfère son âme dans celle de son adversaire.
Attaque 2200
Défense 2800
LA PLANCHE DISPARAIT DU JEU !!
LA PLANCHE (carte de magie perpétuelle)
Elle s'active lorsque Dark Necrofire rejoint le cimetière. À chacun des tours suivants, la planche désigne une lettre. Quand le mot "death" est composé, le joueur meurt...
ZDOOO ZDOO ZDOO
ET EN PLUS !!!
NECROFIRE ATTAQUE LE MONSTRE ENNEMI !!

KAAH
DARK NECROFIRE Attaque 2200
ZUKYUUUN
LE REGARD DESTRUCTEUR !!
BAKURA points de vie 3500
LE FANTÔME DU COMTE Attaque 2000
BAKURA, TON COMBO EST BRISÉ !!
COM-MENT ?!
YUGI, JE N'EN SUIS PAS CERTAIN...
KRUU KRUU ...

ZDOM
DEAT
YES
NO
ABCD
NOPQ
WXYZ
1234
7890
GOOD BY
CE N'EST PAS POSSIBLE ?!
ET COMME TU PEUX LE VOIR, LES QUATRE LETTRES SONT ENCORE LISIBLES !
CE QUI VEUT DIRE QUE TU N'ÉCHAPPERAS PAS À TON CHÂTIMENT AU PROCHAIN TOUR !!
EH OUI ...
ZDOO
ZDOO
ZDOO
LA PLANCHE EST DE NOUVEAU EN JEU ?!

JE CROIS QU'IL Y A DU CHANGEMENT DANS TON CAMP...
!!
MAIS ?!
ZRUU ZRUU
?!
NECROFIRE A DISPARU ?!
IL Y A BLACK MAGICIAN GIRL ! MAIS AUSSI KRIBOW ET MAGNET WARRIOR !!
KRII ?!?!
JE NE COMPRENDS PAS !!
LES MONSTRES QUI AVAIENT DISPARU SONT DE RETOUR !
BAKURA ! QUELLE EST SA CARTE DE MAGIE ?!
TU VEUX QUE JE T'EXPLIQUE...? KRUU KRUU...
MA CARTE EST...
CELLE-CI !!!

LA CARTE DE MAGIE "DÉJÀ VU"!!
BLAM
DÉJÀ VU
(carte de magie)
Lorsqu'elle se déclenche, la victime retrouve l'intégralité de son jeu du tour précédent. À l'exception des cartes piège et de magie.
"DÉJÀ VU"?!

GRÂCE À CETTE CARTE, TU VAS REVIVRE LE CAUCHEMAR DU TOUR PRÉCÉDENT...
PAR CONTRE, TU NE RÉCUPÉRERAS PAS TES CARTES DE MAGIE QUI ONT SERVI À BRISER MON COMBO.

GURPS...
ZRUU
ZRUU
BIEN ...
IL N'EXISTE AUCUN MOYEN DE BRISER MON COMBO OCCULTE.
TU VAS MOURIR AU TOUR SUIVANT !!!

GROOOW
YÛGI !!!
ブォオ
IL SE RETROUVE DANS LA MÊME SITUATION DANGEREUSE QUE TOUT À L'HEURE !
MERDE !!!
URKS...
À MON TOUR...
UNE FOIS LES LETTRES DU MOT "DEATH" RÉUNIES, JE VAIS PERDRE ET MOURIR !!!
JE N'AI PLUS DE CARTE DE LA RÉSURRECTION PARMI LES QUATRE RESTANTES...
ZDOOO
ド
TOUT REPOSE SUR LA CARTE QUE JE VAIS PIOCHER DANS LE TAS !!
ド
ZDOOO
YÛGI !!!
IL FAUT GARDER ESPOIR !!!
GROO GROO
GROO
ゴ
INUTILE !!!
JE VAIS GAGNER !!!
YÛGI !!!

TU DOIS INVOQUER DIEU !!

OUPS...

...!!
MON AUTRE MOI ! TU DOIS TENIR BON !
POUR RÉCUPÉRER TA MÉMOIRE, ON DOIT GAGNER !!

JE DOIS JUSTE TIRER LA BONNE CARTE !

OUI !!!
LA CARTE QUE TU AS PLACÉE DANS MON JEU !!

JE PIOCHE !!!
VLAF !!
KAAH
GROO
COMMENT...?
GROO GROO

OSIRIS, VIENS À MOI !!
GROOO
LE DRAGON VOLANT D'OSIRIS
★★★★★★★★★★
À chaque fois que le joueur adverse placera un monstre en jeu, il perdra 2000 points. Le X est à remplacer par le nombre de cartes que le joueur a en main.
Attaque X000
Défense X000
GROOOO
GROOO

ズドドド
ZDOOO ZDOOO
ZDOO ド

OSIRIS, DESCENDS DU CIEL !!
KAAAH
DUEL DISK
LE DRAGON VOLANT D'OSIRIS
À chaque fois que le joueur adverse placera un monstre en jeu, il perdra 2000 points. Le X est à remplacer par le nombre de carte
que le joueur a en main.
!!
GROO
GROO
Battle 208
TIRER LA BONNE CARTE ?!

J'INVOQUE DIEU !!!!
Battle 208
TIRER LA BONNE CARTE ?!

LE DRAGON VOLANT OSIRIS ?!
ZDOO
ZDOO ZDOOO
ZDOO ZDOOO
ZDOO
ET IL A RÉUSSI À INVOQUER LE LÉGENDAIRE DRAGON ?!!
LA PLANCHE AVAIT PRESQUE FINI SON TRAVAIL...

ZDOO
ZDOO
ZDOO
C'EST... C'EST DINGUE !!!
C'EST DONC ÇA... OSIRIS !
ZDOO
IL A ATTENDU LE DERNIER TOUR POUR TIRER CETTE CARTE...
ZDOO
TU ES BIEN L'UNIQUE DUELLISTE DIGNE DE M'AFFRONTER !!
LA CARTE DIVINE QUE POSSÈDE YÛGI !
ZDOO
UNE CARTE DIVINE...
LE SERVEUR ABSOLU DE DIEU...

PENDANT LE BATTLE CITY...
CELUI QUI RÉUNIRA LES TROIS CARTES DIVINES SERA INTRONISE ROI !

LORSQU'IL AURA TRAVERSÉ CETTE ÉPREUVE, IL RETROUVERA SA MÉMOIRE DISPARUE.

YUGI...!!

CETTE MÉMOIRE ENFOUIE DANS LES TÉNÈBRES ...

POUR SAISIR LA GLOIRE, JE DOIS VAINCRE !!
BAKURA, TU ES PRÊT ?!

!!
ABC
HIJKL
NOP
WXY
12345
7890
GOO
DOM
!!
IL A INVOQUÉ OSIRIS...
BAKURA, TA SITUATION SE DÉTÉRIORE !
URKS !!
LE NIVEAU D'ATTAQUE DÉPEND DU NOMBRE DE CARTES QU'IL A EN MAIN !!

YÛGI EN TIENT QUATRE...

ÇA LUI FAIT 4000 POINTS D'ATTAQUE !!!
BAKURA
Points de vie
3500

TU N'AS PAS DE MONSTRE POUR FAIRE ÉCRAN...
BAKURA... TU NE SURVIVRAS PAS À L'ATTAQUE D'OSIRIS...
URKS !
NON, PAS ENCO-RE !

LES TROIS CARTES QUE YÛGI A SACRIFIÉES POUR INVOQUER OSIRIS...
CES CARTES SONT CELLES QUE J'AI FAIT REVENIR DANS LA PARTIE EN UTILISANT LA MAGIE DE "DÉJÀ VU"!!
CES TROIS MONSTRES ÉTAIENT NORMALEMENT ENSORCELÉS PAR LA MARIONNETTE...
LE DRAGON VOLANT D'OSIRIS
À chaque fois que le joueur adverse placera un monstre en jeu, il perdra 2000 points. Le X est à remplacer par le nombre de cartes que le joueur a en main.
Attaque X000
Défense X000
CE QUI VEUT DIRE QU'EN SACRIFIANT LES CARTES...
... L'ESPRIT DE LA MARIONNETTE CONTINUE À ERRER DANS LA PARTIE.
HYUUUU
IL CHERCHE UN MONSTRE À PARASITER !! HÉ HÉ HÉ !!
VAS-Y !!
TU DOIS PARASITER OSIRIS !!
HYUUN

STROOG
QUOI ?!
Gloups
IL A ÉCRASÉ MON MONSTRE ?!
GYAAAAA
TU PERDS TON TEMPS !!
UN DIEU NE PEUT PAS SE FAIRE PARASITER PAR UNE CARTE AUSSI MÉDIOCRE !!
GRRR...
IL NE RESTE PLUS...
... RIEN POUR GAGNER !!!

BAKURA, JE VAIS GAGNER !!
BIEN JOUÉ, YUGI !!
ESSAIE DE RÉVEILLER NOTRE BAKURA AVEC L'ATTAQUE D'OSIRIS !
BLAM
BAKURA, TU ES PRÊT ?!
L'ATTAQUE DE...
GROOO GROOO
URKS !!
PAS DE SOUCI.
COM-MENT ?!
J'AI PRIS DES PRÉCAUTIONS ...

DOM
ZRUU ZRUU
ズズ
!!
MAIS?!
MARIK...!!
GROO GROO GROO
ゴゴゴ

GYOM

!!
TOi ?!
BAKURA SUBIT UN LAVAGE DE CERVEAU DE LA PART DE MARIK ?!
YÛGI, ÉCOUTE BIEN...
CE GARÇON EST UNE MARIONNETTE MANIPULÉE PAR LE POUVOIR DE CETTE HACHE MILLÉNAIRE.
JE VAIS TE LE PROUVER ...
JE VAIS LUI REDONNER SON ASPECT NORMAL...
COMMENT ?!
GROO GROO GROO

GTAKS
URKS...
!!
AÏE... J'AI MAL...
J'AI MAL...
URRH...
BAKURA!!!
BAKURA!!!
BA-KU-RA...
OÙ SUIS-JE...?
QU'EST-CE QUE JE FAIS ICI ?

COMME TU PEUX LE VOIR, LE GARÇON SOUFFRE DE SA BLESSURE.
TON ATTAQUE AVEC OSIRIS RISQUE DE LUI INFLIGER DE SÉRIEUX DOMMAGES PSYCHOLOGIQUES.
!!

MAINTENANT, TU SAIS À QUOI TU T'EXPOSES...
URKS !!!
IL VEUT SE SERVIR DE BAKURA COMME D'UN BOUCLIER !!
MARIK !!!
SWAP
C'EST IGNOBLE !!
BAKURA, TIENS BON !!
HE HE ...
RISHIDO... ÇA SUFFIRA POUR L'INSTANT...
WOOOOW
SEIGNEUR MARIK ...
GROOOOW
CE N'EST PAS CE VENT CINGLANT QUI EST À L'ORIGINE DE...
... LA BLESSURE DE MON ÂME...

URKS !!
BAKURA !!!
Si J'ATTAQUE... BAKURA RiSQUE...
Si YÛGi RETARDE SON ATTAQUE PENDANT CE TOUR...
LES CiNQ LETTRES SERONT ENFiN RÉUNIES SUR LA PLANCHE ...

GLOUPS
ZDOO
ZDOO
YÛGi, VOUS DEVEZ POURSUIVRE LE DUEL !!
LE JOUEUR A 5 MINUTES PAR TOUR POUR RÉFLÉCHIR !
iL NE RESTE PLUS QUE 30 SECONDES !!

GLOUPS
YÛGI...
URRH...
J'AI MAL ...
GLOUPS
OUPS...
BAKURA EST TROP AFFAIBLI POUR RÉSISTER À UNE ATTAQUE D'OSIRIS !!
PLUS QUE 20 SECONDES !!
ALORS ?! QU'EST-CE QUE TU ATTENDS ?!
IL FAUT L'ACHEVER !
YÛGI !!!
DONK
YÛGI !!!
IL FAUT FAIRE CESSER CE DUEL !
SI BAKURA NE REÇOIT PAS DE SOINS, IL VA VRAIMENT MOURIR !!!

DEAT
PLUS QUE 10 SECONDES !!!
...!

SACRE MARIK...
SON CHANTAGE EST INGÉNIEUX...

URRH!!
URKS!!

CECI FAIT PARTIE DE NOTRE PACTE...

URRH!!

TCHH!!!
MAIS...

MOI NON PLUS, JE N'AIME PAS GAGNER OU PERDRE N'IMPORTE COMMENT !
GROOO
!!
MARIK, DÉGAGE D'ICI !!
KAAAH
DOM
BAKURA !!!
YÛGI... CETTE FOIS, JE TE LAISSE GAGNER !
VIENS, ATTAQUE !!
RASSURE-TOI, JE NE FERAI PAS MOURIR BAKURA !
BAKURA !!!
POUR M'EMPARER DES FORCES DES TÉNÈBRES, J'AI ENCORE BESOIN DE LUI... IL M'EST PRÉCIEUX...

ALLEZ, YÛGI !!
D'ACCORD !!!
ZDOO ZDOO ZDOOO
BAKURA
Points de vie
0

GWOOOoo
THUNDER FORCE!!
HYAAA HA HAAAA
HLM
WXYZ
7890
BYE
BAKURA!!!
URGS!!
GWOOOoo

Battle 209 POUR NE PAS ROMPRE LE LIEN !!

GWOOOO
HYAAA HA HAAA
BAKURA!!!
BAKURA
Points de vie
0

Battle 209
POUR NE PAS ROMPRE LE LIEN !!

ZDOOO
LE VAINQUEUR EST MUTÔ YÛGI !!
ZDOOO ZDOO
FIN DE LA PREMIÈRE ÉPREUVE !!
GROO
GROO GROO
YÛGI !!!
COMMENT VA BAKURA ?!
DASH
BAKURA !!!

URRH ...
YÛ...
BAKURA, TIENS BON !!

IL EST ENCORE CONSCIENT ...!
IL SAIGNE BEAUCOUP. IL FAUT LE SOIGNER !
ON L'EMMÈNE DANS SA CHAMBRE.
EH ! PORTE-LUI LA TROUSSE D'INFIRMERIE !
AH...
OUI, MONSIEUR MOKUBA !

BAKURA...

SUIVEZ-MOI DANS SA CHAMBRE...
SPIRIT

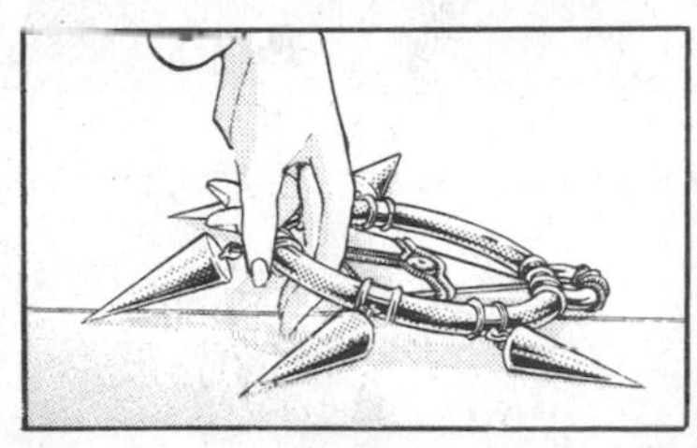

L'ESPRIT DE L'ANNEAU MILLÉNAIRE.

IL A OUBLIÉ À QUEL POINT CET OBJET EST DANGEREUX...
IL ÉTAIT ENCORE POSSÉDÉ PAR L'ESPRIT DE SON ANNEAU MILLÉNAIRE...
BAKURA...

IL EST OBLIGÉ DE PROTÉGER SON DOUBLE...
C'EST LE SEUL POINT QUE NOUS AVONS EN COMMUN...

MÊME SI C'EST UN ESPRIT MALÉFIQUE QUI RÉSIDE DANS CET OBJET...

IL A PERDU SA PARTIE POUR SAUVER LE BAKURA QUI L'ACCUEILLE EN LUI...

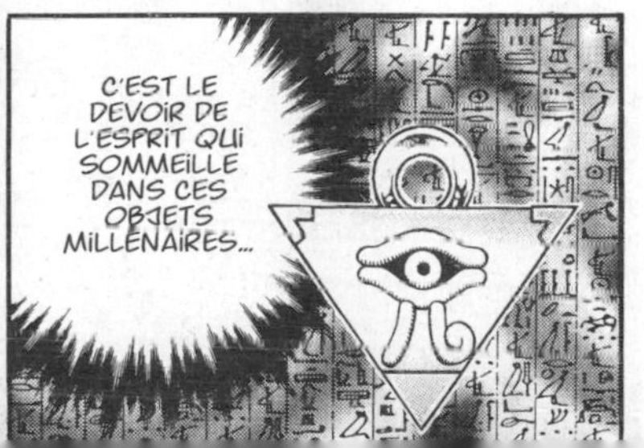
C'EST LE DEVOIR DE L'ESPRIT QUI SOMMEILLE DANS CES OBJETS MILLÉNAIRES...

JE NE SUIS PAS TOUT À FAIT D'ACCORD.
MON DOUBLE...

...!

JE SAIS BIEN QUE TU ME PROTÈGES.
PAR LA VOLONTÉ DE L'OBJET MILLÉNAIRE, BAKURA ET MOI, NOUS SOMMES DANS LA MÊME SITUATION. J'EN AI ÉGALEMENT CONSCIENCE.

LA DIFFÉRENCE...
C'EST QUE MOI AUSSI, JE VEUX TE VENIR EN AIDE !

DEPUIS CE JOUR OÙ J'AI RÉUSSI À ASSEMBLER LE PUZZLE, JE RÊVE DE DEVENIR FORT !
POUR MON BIEN...

MAIS AUSSI POUR LE TIEN !

OUAIS !!!

MAIS POUR L'INSTANT...
... JE NE PEUX PARTAGER QUE MON ÂME...

TU DOIS ÊTRE ÉPUISÉ DE TON COMBAT CONTRE BAKURA ?
TU DEVRAIS TE REPOSER UN PEU.

FUH...

SANS HÉSITATION, L'AMI !
À TOI !
PLAF

DOM

YÛGI !
SPIRIT

OUI...
JE VEUX DIRE, POUR TOUT À L'HEURE ...

COMMENT ?!

GROO
GROO
GROO
YUGI ...
IL FAUT ALLER SOIGNER BAKURA !
SUIS-MOI !
OUI...
YUGI !!!
!

JE GARDE L'ANNEAU AVEC MOI...
JE VAIS LE RANGER, À L'ABRI DE BAKURA !

OK !!!
ZRUU
ZRUU
ZRUU

LE VAINQUEUR A LE DROIT DE CHOISIR UNE CARTE DANS LE JEU DU PERDANT !
JE N'EN VEUX PAS !
LA SANTE DE BAKURA EST PLUS IMPORTANTE !

MON FRÈRE... YÛGI A PASSÉ LA PREMIÈRE ÉPREUVE SANS TROP DE PROBLÈMES.

FUH...
SEUL CELUI QUI EST ÉLU PAR DIEU PEUT BATTRE YÛGI !

YÛGI ! EN FINALE, C'EST MOI QUI VAIS TE BATTRE !!

LA DEUXIÈME ÉPREUVE AURA LIEU DANS EXACTEMENT 20 MINUTES !
DUEL DISK
KC
ゴオォォ
GROOOOO

ÇA Y EST, IL A REÇU LES SOINS NÉCES-SAIRES.
MAIN-TENANT, IL DOIT SE REPOSER.
TANT MIEUX ...

C'EST COOL, YÛGI A RÉUSSI À PASSER LA PREMIÈRE ÉPREUVE.
JE NE PENSAIS PAS DEVOIR ME BATTRE AUSSI SÉRIEUSEMENT CONTRE BAKURA...!
...
OUI MAIS, C'ÉTAIT LE DOUBLE DE BAKURA !!!

CETTE FOIS-CI...
MON DOUBLE A FAILLI PERDRE...
PAR-DON ?
AU DERNIER TOUR...
LORSQUE LA VISION DE BAKURA AGONI-SANT EST APPARUE...
MON DOUBLE NE POUVAIT PLUS ATTAQUER.
SANS CETTE APPARITION, IL AURAIT PERDU SANS SE DÉFENDRE.
TU VEUX DIRE QUE SON DOUBLE, CELUI DE L'ANNEAU MILLÉNAIRE, A LAISSÉ GAGNER YÛGI ?!
IL A CERTAI-NEMENT PENSÉ QUE MON AUTRE MOI ALLAIT L'ATTA-QUER.
C'EST POUR LE PROTÉGER QU'IL A FAIT APPARAITRE LE "VRAI" BAKURA !

ALORS ÇA SERVAIT À QUOI D'APPARAÎTRE SOUS CET ASPECT ?!
CE N'EST PAS ÇA...
IL Y AVAIT UNE AUTRE PERSONNALITÉ DANS BAKURA !
C'EST ELLE QUI A DÉCIDÉ !

QUOI ?!
TU VEUX DIRE QU'ILS SONT TROIS ?!

OUI, L'AUTRE C'ÉTAIT MARIK !

MARIK...

EN-CORE LUI !
CE MEC QUI ÉTAIT VOILÉ !!

MARIK VOULAIT SE SERVIR DE BAKURA COMME D'UN BOUCLIER POUR REMPORTER LA VICTOIRE...!
MAIS L'AUTRE BAKURA S'EST INTER-POSÉ...
MARIK AVAIT COMPRIS QUE MON DOUBLE NE POUVAIT PAS ATTAQUER !!

GROO GROO
GROO GROO
C'EST UN ADVERSAIRE ASSEZ REDOUTABLE...

YÛGI !!!
COMMENT FAIT MARIK POUR MANIPULER BAKURA ?
C'EST GRÂCE AU POUVOIR DE LA HACHE MILLÉNAIRE...
SON POUVOIR LUI PERMET DE FAIRE UN LAVAGE DE CERVEAU ET DE MANIPULER UN INDIVIDU...
SPIRIT
HAAH
YÛGI !!!
VLAF
LE MEC QUI M'A MANIPULÉ EN TE METTANT EN DANGER ?! C'ÉTAIT LUI ?!

OUI !
GRRR...
LE SALAUD !!!
IL...
JE NE LUI PARDONNERAI JAMAIS !!!
ZBOOM
IL VA ME LE PAYER !!
ZDOO ZDOOO
MESSIEURS...
VEUILLEZ VOUS RASSEMBLER, LA DEUXIÈME ÉPREUVE NE VA PAS TARDER À COMMENCER !
URK...
UWOOOSH !!!
MOI, LE DUELLISTE JUSTICIER, JE VAIS ÉCLATER CES MAUVAIS ESPRITS !!!
AÏE, AÏE

ALLEZ, MON FRÈRE, JE SUIS AVEC TOI !
JE VAIS CONTINUER À VEILLER SUR BAKURA.
D'ACCORD !!!
MERCI, ANZU.
BTAM
SPIRIT
SPIR

GROO
ゴ
GROO
ゴ
GROO
ゴ
EHE...

GROOOW
GROUUUU
ON ACTIVE LA BINGO MACHINE !!
POUR LE DEUXIÈME DUEL, NOUS ALLONS PROCÉDER AU TIRAGE AU SORT !!
GROUUUU
9
1
8
6
4
3
2
1
GROOO GROOO
MON NUMÉRO, VITE !
LE SUIVANT SERA MON FRÈRE !!
KTOC
KTOC
ATTENTION !!!
LES DEUX DUEL-LIS-TES SONT ...

BLAM
KATSUYA JÔNO-UCHI !!
!
YES!!!
ET QUI ESTIMA FUTURE VICTIME ?
4
VS
DOM
MARIK ISHTAR !
2

MARIK!!!
GYOP
GROo GROo GROo
...
CE SALAUD DE MANIPU-L'ATEUR !!
JE VAIS LUI RÉGLER SON COMPTE !!
GROoOo

DONG
JÔNO-UCHI, T'AS INTÉRÊT À ASSURER !!!
MON FRÈRE VA GAGNER !!!
MARIK !! TU VAS PAYER !!
CE MEC A ESSAYE DE BRISER LES LIENS QUI SOUDENT NOTRE BANDE ! JE NE LUI PARDONNERAI JAMAIS !!

CE PETIT RAT DE JÔNO-UCHI EST DÉJÀ PRIS AU PIÈGE...
RISHIDO, TU VAS LE MASSACRER AVEC TA TECHNIQUE DES PIÈGES... KRUU KRUU
DUEL!!!
ZDOO
MARIK...
ZDOO
ZDOO
SI CE MEC POSSÈDE LE CARTE DU DIEU SOLEIL RÂ...
JÔNO-UCHI LUI SERVIRA DE RAT DE LABORATOIRE ...
GRO-O-O...
ZDOO
ON Y VA !!
ZDOO

GRO°O°
BATTLE CITY, DEUXIÈME ÉPREUVE.
JÔNO-UCHI VS MARIK
WOOOW
Battle 210
LE PIÈGE DU SANCTUAIRE !!
VEUILLEZ VOUS PLACER AU CENTRE ...
ZDOO
ZDOO
CE MANIPU-LATEUR DE CER-VEAUX...
CE MEC A TENTÉ DE BRISER NOTRE AMITIÉ !!
JE NE SERAI SATISFAIT QU'UNE FOIS QU'IL AURA DISPARU !!
ZDOO

Battle 210
LE PIÈGE DU SANCTUAIRE !!

GRO.
GRO. GRO.
NUOOOW!
GRO. GRO.
GRO.
EH, ÇA FAISAIT LONGTEMPS !
JÔNO-UCHI EST TERRIBLEMENT FÂCHÉ !
C'EST BIEN, IL A L'AIR ULTRA-MOTIVÉ !!!
IL N'A JAMAIS PERDU EN ÉTANT DANS CET ÉTAT !
OUI MAIS LÀ, C'EST UN DUEL, PAS UNE BAGARRE DE RUE...
CE MARIK DÉGAGE QUELQUE CHOSE DE TRÈS PUISSANT...
IL DOIT ÊTRE ASSEZ FORT.
JÔNO-UCHI, MÉFIE-TOI...
GRO. GRO. GRO.
VOUS AVEZ FINI DE MÉLANGER VOS CARTES ?!
JÔNO-UCHI, ÇA SUFFIT ! VOUS DEVEZ REJOINDRE VOTRE PLACE !!
JE VAIS L'ÉCLATER !!
ZUM
ZUM
GRO.O.O.
NUOW

JUSTE POUR TE PRÉVE-NIR !!
BLAM
MARIK, TU PERDRAS AU 11e TOUR !
ZUM
C'EST QUOI CE CHIFFRE ?!
MON FRÈRE ASSU-RE !!
IL NOUS FAIT HONTE AVEC SES DÉCLARA-TIONS...
HAAH

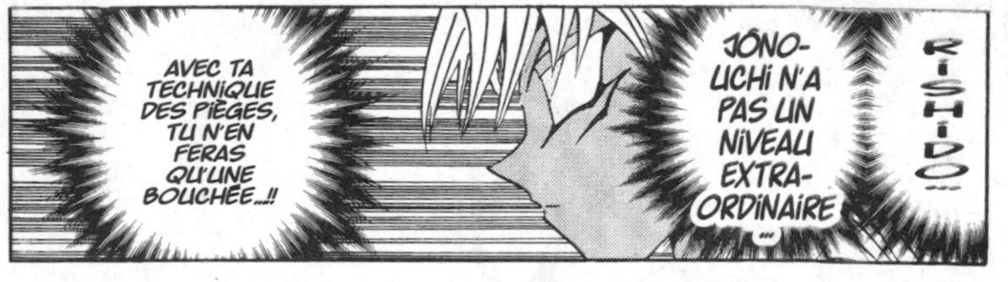
RISHIDO...
JÔNO-UCHI N'A PAS UN NIVEAU EXTRA-ORDINAIRE...
AVEC TA TECHNIQUE DES PIÈGES, TU N'EN FERAS QU'UNE BOUCHÉE...!!

JE SUIS LE SOLDAT DE L'OMBRE DU SEIGNEUR MARIK. CEUX QUI S'OPPOSENT À MOI DEVRONT DISPARAÎTRE !!

DIS-MOI, CE MARIK ? C'EST LE TROISIÈME HOMME QUI UTILISE UNE CARTE DIVINE ?
C'EST CE QUE L'ON DIT...
MAIS TANT QUE JE N'AI PAS VÉRIFIÉ...
MON CHER JÔNO-UCHI !
MONTRE-TOI DIGNE DE TON RÔLE DE RAT D'EXPÉRIMENTATION ! TU DOIS PERDRE APRÈS AVOIR VU LA CARTE DIVINE !!
GROOO
ZDOO ZDOO
LE CHAUVE TATOUÉ ! GARE À TOI !
ZDOO
DUEL !!
ZDOOO
MARIK (RISHIDO) points de vie 4000
JÔNO-UCHI points de vie 4000
J'ENGAGE LE PREMIER !!
JE TIRE CINQ CARTES !!!

ALLEZ, JÔNOUCHI, ON EST AVEC TOI !
GARE À TOI SI TU PERDS !
OUI, JE SUIS AVEC TOI !

TU DOIS BATTRE CET INFÂME MARIK... CE MEC QUI A FAILLI NOUS METTRE EN DANGER PENDANT NOTRE DUEL !!

MAIS...
IL NE M'A MÊME PAS REDEMANDÉ SA CARTE DU "RED EYES BLACK DRAGON"...
RED EYES BLACK DRAGON
Attaque 2400
Défense 2000
SON JEU DE CARTES MANQUE CLAIREMENT DE PUISSANCE...!

GROOO
NE T'INQUIÈTE PAS, YÛGI !
JE VAIS DÉGAGER CETTE ORDURE DE MARIK ET RÉCUPÉRER SA CARTE DIVINE !
WOUAW !!!
IRPS !!!
LE SOUFFLE EMPORTE MES CARTES !
!!

VLAF
OUPS...
C'ÉTAIT CHAUD...
J'AI FAILLI LÂCHER MES PRÉCIEU-SES CARTES !
BDOM
BDOM

OUF
IL ME FAIT PEUR CE GARS...
...!
JÔNO-UCHI, RES-SAISIS-TOI !
BIEN RAT-TRA-PÉ !

KRUU...
MARIK NE SERA PAS SON SEUL ADVERSAIRE...
IL DEVRA AUSSI LUTTER CONTRE CE VENT !!

JÔNO-UCHI, CALME-TOI !

CON-CEN-TRA-TION...!

À MOI !
JE VAIS ENGAGER AVEC CELLE-CI !

LE CHEVALIER D'ACIER GEAR FREED ★★★★
Attaque 1800
Défense 1600
ZDOOO
JE PLACE "LE CHEVALIER D'ACIER GEAR FREED" EN POSITION D'ATTAQUE !!!
ATTAQUE 1800 ! JE PENSE QUE DANS UN PREMIER TEMPS, MARIK VA ME FOUTRE LA PAIX...
ET JE TERMINE MON TOUR !!!
À MOI...
VLAF
GROO GROO
GROO
LE CHÂTIMENT D'ANUBIS (carte piège)

VLAF
GROO GROO GROO
UNE CARTE DE MAGIE PERPÉTUELLE !!!
LE SANCTUAIRE ROYAL
(carte de magie perpétuelle)
Normalement, pendant un tour, un joueur ne peut sortir qu'une seule carte piège ou de magie. Mais celle-ci permet d'utiliser deux cartes pièges en même temps.
GROO GROO GROO
MAIS... C'EST ?!
GROO
GROO
...?!?!
"LE SANCTUAIRE ROYAL"!!

GRO. GRO.
GRO.
UNE ESPÈCE DE TEMPLE VIENT D'APPARAITRE DERRIÈRE MARIK ?!

CEUX QUI PROFA-NENT UNE TOMBE ROYALE ...
S'EXPOSENT AU PIÈGE D'UN CHÂTIMENT DIVIN...
LE POUVOIR DE CETTE CARTE ME PERMET DE SORTIR DEUX CARTES PIÈGES EN MÊME TEMPS...
!!
DEUX CARTES PIÈGES DANS LE MÊME TOUR ?!

Je place deux cartes que je vais laisser masquées.
Et je termine mon tour...
Z-DOM
Oui.
Z-DOM
Urks ...!!
ZRUU ZRUU
Vas-tu trouver le courage de pénétrer dans cette zone...?
ZRUU

Marik n'a pas placé de monstre...
Avec les cartes pièges, Jōno-uchi ne pourra pas passer à l'attaque !!

Urks ...

He he ...
Jōno-uchi ne va pas tarder à cracher du sang !

ZRUU
ズ
ZRUU
ズ
!
ZRUU
ズ
ズ
ZRUU

ET CE COFFRET SACRÉ POSÉ SUR L'ESTRADE ...?

ZRUU
IL DOIT Y AVOIR QUELQUE CHOSE À L'INTÉRIEUR...
ZRUU
ズ
ズ
ズ
ZRUU

URRH...
SON TRUC FOUT BIEN LA TROUILLE !

MAIS NON ENFIN ...
IL EN FAUT PLUS POUR IMPRES-SIONNER JÔNO-UCHI ! IL N'A PEUR DE RIEN !

KRUU KRUU ...
LA RAISON EST SIMPLE ...

J'AI AVEC MOI LA CARTE DE "LA TORNADE".
BLAM !!
IL ATTEND QUE JE PASSE À L'ATTAQUE POUR DÉCLENCHER SON SORT !
JE NE VAIS PAS ATTAQUER ...
LA TORNADE (carte de magie)
Elle annule toutes les cartes pièges et de magie en jeu.
500
1200
AVEC CETTE CARTE, IL PEUT REMBALLER SES PIÈGES ET AUTRES COUPS TORDUS !
JE VAIS PLACER QUELQUES MONSTRES PENDANT QU'IL ATTEND MON ATTAQUE !

DONC, JE VAIS LE LAISSER DÉBALLER SES CARTES DANS LE JEU !!
ENSUITE, J'ARRIVE AVEC MA CARTE "LA TORNADE"!
ET JE PASSE À L'ATTAQUE !!!

C'EST UN BON PLAN !!!!
IL EST PARFAIT !!

J'INVOQUE "PANTHER WARRIOR"!!
ZDOO
ZDOO ZDOO
MON TOUR EST TERMINE !!!
JE MASQUE À NOUVEAU DEUX NOUVELLES CARTES !!
DOM
DOM
QUATRE CARTES MASQUÉES DANS SON JEU !!
TOUT REPOSE SUR LES PIÈGES !!
COMME PRÉVU, IL ALIGNE DES CARTES PIÈGES !
ET EN PLUS !!!
J'INVOQUE UN AUTRE MONSTRE !!

PANTHER WARRIOR Attaque 2000
GEAR FREED Attaque 1800
LE CHEVALIER LANDSTAR Attaque 500
BIEN!!!
AVEC TOUS MES MONSTRES, MA PUISSANCE D'ATTAQUE DÉPASSE 4000 POINTS !!
EN DÉCLENCHANT "LA TORNADE", JE LE BALAIE EN UN SEUL COUP !

MARIK!!!
VLAF
TU ES TOMBE DANS MON PIÈGE !

LE SORT DE MAGIE !
LA TORNADE (carte de magie)
Elle annule toutes les cartes pièges et de magie en jeu.
Z DOM
LA TORNADE !!!
GROO
GROO GROO
GROO GROO
GROO
BIEN !!!
LES CARTES PIÈGES ET DE MAGIE RETOURNENT CHEZ MARIK !
JÔNO-UCHI A GAGNÉ !!!
HEIN ...?

ZDOM
TU ES TOMBÉ DANS MON PIÈGE.
シュウウウ
SHUUUU
COMMENT ÇA...?!
L'EFFET DE LA CARTE "LA TORNADE" A DISPARU ...!!
MOI, J'ATTENDAIS QUE TU UTILISES TA CARTE DE MAGIE !
TU AVAIS L'AIR DE CROIRE QU'IL SUFFISAIT D'UNE ATTAQUE POUR DÉCLENCHER MES CARTES PIÈGES.
GLOUPS
!!

JE SAVAIS QUE TU POSSÉDAIS "LA TORNADE" DANS TON JEU...
SI TU N'UTILISAIS PAS DE CARTES MASQUÉES, C'EST QUE TU VOULAIS ÉVITER QU'ELLES TE REVIENNENT EN MAIN.
TU N'ESPÉRAIS QUAND MÊME PAS QUE ÇA ALLAIT FONCTION-NER SUR LE SEIGNEUR MARIK ?!
DOM
ET MAINTENANT VOICI CE QUI VA TE PIÉGER !!
LE CHÂTIMENT D'ANUBIS
(carte piège)
Elle se déclenche lorsque l'adversaire utilise une carte de magie. Elle annule le sort magique, et anéantit tous les monstres en jeu. La moitié de la totalité des points d'attaque des monstres disparus est soustraite des points de vie de la victime.
LE CHÂTIMENT D'ANUBIS !!

TOUS LES MONSTRES EN JEU SONT ANÉANTIS !!!
GROOOW
GLOUP...
JÔNO-UCHI
Points de vie
1850
LE PIÈGE NE FAIT QUE COMMENCER...

ZDOO ZDOO
ET MAINTENANT, LE PIÈGE !!
LE CHÂTIMENT D'ANUBIS !!
ZDOO
ZGROOOOSH
Battle 211
L'UNIVERS, FATAL DU PIÈGE !!
LE CHÂTIMENT D'ANUBIS
(carte piège)
Elle se déclenche lorsque l'adversaire utilise une carte de magie. Elle annule le sort magique, et anéantit tous les monstres en jeu. La moitié de la totalité des points d'attaque des monstres disparus est soustraite des points de vie de la victime.
URKS !!!
TOUS LES MONSTRES EN JEU SONT ANÉANTIS !!!
WOOOOW
TOUS MES MONSTRES SONT DÉTRUITS ?!
JÔNO-UCHI
Points de vie
1850
TU N'ÉCHAPPERAS PAS À L'ENFER DU PIÈGE !!

Battle 211

L'UNIVERS FATAL DU PIÈGE !!

WOOOAW
MER-DE...
MES TROIS MONSTRES QUE J'AVAIS INVOQUÉS ...!!

ÇA CRAINT...
JÔNO-UCHI, CALME-TOI !
LE PIÈGE DE MARIK S'EST REFERMÉ SUR LUI...
LA CARTE PIÈGE PEUT FACILEMENT FAIRE BASCULER LES CONDITIONS D'UN DUEL.
ET L'IMPACT SUR LE MORAL DU JOUEUR EST IMMENSE...
DANS LE PIRE DES CAS, TU NE PEUX PLUS RIEN FAIRE...
JE PENSE QUE C'EST LA FAÇON DE JOUER DE MARIK...

MAIS JÔNO-UCHI NE SE DÉROBERA PAS !!
IL NE CRAQUERA PAS SOUS LA PRESSION DU PIÈGE !!

HE !
ZDOO
ZDOO
GYOP
LE CHAUVE TATOUÉ, ÉCOUTE-MOI BIEN !
LES COUPS PRÉCÉDENTS, C'ÉTAIT POUR SAVOIR CE QUE TU VAUX COMME DUELLISTE !
POUR TON PLAISIR, JE ME SUIS MÊME LAISSÉ PIÉGER !
...
JE CROIS QUE TU TE MOQUES DE MOI !
ZDOO
TU ME FAIS PLAISIR ...
TU ES LE 21e DUELLISTE À ME METTRE DANS CET ÉTAT !!

GROOO
GROOO
MAINTE-NANT, FINI DE RIGOLER !!!
JE VAIS ME BATTRE DE TOUTES MES FORCES ! AU NIVEAU MAXIMAL !

HYUUN
ヒュウウ
LE NIVEAU MAXI-MAL ?!?!
VOILÀ QUI EST BIEN LANCÉ !
IL EST DÉJÀ À FOND NON ?

UN MEC IDIOT NE RESSENT PAS LA PRESSION ...?

ZDOOOZDOO
ZDOOOZDOO
ALLEZ, MARIK !
À TOI DE JOUER, JE T'ATTENDS !!!
VLAF
JE PIOCHE !!!

JE MASQUE UNE CARTE...

MON TOUR EST TERMINE.
DOM
TCHH...
ENCORE UNE CARTE MASQUÉE ...!!
MARIK NE POSSÈDE PAS DE CARTES DE MONSTRE DANS SON JEU ?
TU ES UN LÂCHE AVEC TES SALOPERIES DE PIÈGES !
EH !!!
TU N'AS PAS LE COURAGE DE VENIR M'ATTAQUER ?!
PAUVRE MAUVIETTE !!!
C'EST À TOI DE JOUER ...
GRRR...
JE PIOCHE UNE CARTE !!!
VLAF

ZDOO
ZDOO ZDOO
J'INVOQUE LE SOLDAT WEBURN !!
ZRUU ZRUU ZRUU
LE SOLDAT WEBURN
Attaque 1500
Défense 1200
URK...
LES QUATRE CARTES MASQUÉES SONT CERTAINEMENT DES CARTES PIÈGES...
C'EST CLAIR QUE JE DOIS FAIRE GAFFE AVANT DE PORTER UNE ATTAQUE...!!

HE...
MERDE

NON...
JE N'ARRIVE PAS À ATTAQUER ...!

URRH

BLAM
MOI AUSSI, JE MASQUE UNE CARTE !!
MON TOUR EST TERMINÉ !
BIEN JOUE !!!
S'IL ATTAQUE, IL TOMBE DANS UN PIÈGE...
IL FAUT ATTENDRE UNE OUVERTURE ...
ZRUU
ズ
MAIS...
ZRUU
ズ
ZRUU
MAIS COMMENT DÉJOUER LES PIÈGES ET CONTRE-ATTAQUER ?
ズ ズ
ZRUU ZRUU

JE NE FAIS RIEN ET JE TERMINE MON TOUR...
À TOI DE JOUER !!!
MERDE ...
ENCORE UN STRATAGÈME POUR ME FAIRE PASSER À L'ATTAQUE ?!
GRO GRO
GRRRR...
GRO
JÔNO-UCHI, IL FAUT GARDER SON SANG-FROID !
NE TE LAISSE PAS MANIPULER !!
À MOI !!!
VLAF
BLAM
J'INVOQUE "LE SOLDAT ROCKET" !!

JE N'EN PEUX PLUS !
JE METS "LE SOLDAT ROCKET" EN MODE INVINCIBLE !!!
GSHAAA
ET JE PASSE À L'ATTA-QUE !!
J'AI MA FIERTÉ, JE NE DOIS PAS ME DÉFILER !!
ZKYUUUN
!!
NON... JÔNO-UCHI, IL NE FAUT PAS !!

LA CARTE PIÈGE EST ACTIVÉE !
BLAM
LE POUVOIR ENFERMÉ DE L'ŒIL OUDJAT (carte piège)
Elle s'active lorsque l'adversaire passe à l'attaque. Pendant un seul tour, le bénéficiaire peut contrôler le monstre attaquant.
LE POUVOIR ENFERME DE L'ŒIL OUDJAT
CETTE CARTE ME PERMET DE CONTRÔLER TON "SOLDAT ROCKET"!!
URKS !!
ATTAQUE LE MONSTRE DE JÔNO-UCHI !!
GYUUU
!

!!
À CAUSE DU PIÈGE, SON MONSTRE SE RETOURNE CONTRE LUI !
GYUUN
PAS QUES-TION !!
LE SOLDAT ROCKET Attaque 1500
LE SOLDAT WEBURN Attaque 1500
DOM
JE DÉCLEN-CHE LA CARTE DE MAGIE !!!
MONSTER BOX !!
...!!
MONSTER BOX (carte de magie)
Elle dissimule tous les monstres de son propre camp qui sont en position d'attaque pour troubler le camp adverse.

DOM
UNE BOITE ETRANGE DANS LE JEU...
LES MONSTRES SE SONT RÉFUGIÉS DEDANS ?!
ZBAAAM
OUI !
LE "SOLDAT ROCKET" NE SAURA PAS OÙ ATTAQUER !!!
!
GYUUU
JE L'AI EU ....?!

ヒョイ
?
HYOP

...
WAH HA HA HA
DOM-MAGE !! MON MONSTRE EST INTACT !!
TU VIENS DE GASPILLER TON PIÈGE !!
J'AI COMPRIS OÙ SE TROUVAIT LE POINT FAIBLE DE TA TACTIQUE BASÉE SUR LES PIÈGES !
TON JEU NE COMPORTE QUASIMENT QUE DES CARTES PIÈGES ET DE MAGIE...
SI L'ON SE DÉBARRASSE DE CES CARTES, TU N'AURAS PAS DE MONSTRE POUR TE PROTÉGER !!
...
JUSTE-MENT, C'EST ÇA QUI LE FAIT GALÉRER ...
MAIS JÔNO-UCHI S'EST BIEN DÉFENDU SUR CE TOUR.

JE N'EN SUIS PAS CERTAIN...
TU NE VOIS TOUJOURS PAS QUE TU ES À NOUVEAU TOMBÉ DANS UN PIÈGE ?
DOM
COMMENT ?!
RISHIDO... IL EST TEMPS DE METTRE FIN À CETTE PARTIE SANS INTÉRÊT...
KRUU KRUU ...
TU AS PRESQUE RAISON, MON JEU COMPORTE ESSENTIEL-LEMENT DES CARTES PIÈGES ET DE MAGIE.
MAIS SI, DANS MON JEU, J'AVAIS UNE CARTE PIÈGE PERMETTANT DE ME PASSER DES MONSTRES...
JE ME RETROUVERAIS AVEC UN JEU QUASI INVINCIBLE !!
ZRUU
...!!
DE QUOI S'AGIT-IL...?!
ZRUU
ZRUU
UNE CARTE PIÈGE QUI PERMET DE NE PAS AVOIR DE MONSTRE ?!?!
ZRUU
RE-GAR-DE...
CE PIÈGE VA SE DÉCLEN-CHER PEN-DANT CE

"LA DÉIFICATION D'ANUBIS"!!
LA DÉIFICATION D'ANUBIS
(carte monstre piège perpétuel)
Elle se déclenche à l'annonce d'une attaque.
Attaque 1600
Défense 1800.
Le piège se transforme en monstre et apparaît dans la partie.
Z-DOM
ZDOO
ZDOO
EN PLUS DE L'EFFET PIÈGE, ÇA LUI PERMET D'INVOQUER UN MONSTRE !!
ZDOO
UNE CARTE PIÈGE MONS-TRE ?!
JÔNO-UCHI VIENT D'ATTA-QUER AVEC "LE SOLDAT ROCKET" ...
ZDOO
ZDOO
ÇA LUI PERMET DE SORTIR LA CARTE PIÈGE QUI SE TRANSFORME EN MONSTRE !!
ZDOO

MAIS...
J'AI DÉJÀ PLACÉ TROIS CARTES MASQUÉES DE CE TYPE...
EN-SUITE...
Z DOM
JE PROFITE DE CE TOUR POUR INVOQUER TROIS MONSTRES !!
Z DOM
GRO
GRO
ANUBIS, VIENS À MOI !!
GRO

ZDOO
ZDOOO
ZDOO

ZDOOO
ZRUU ZRUU
TROIS MONSTRES EN UN SEUL COUP ?!
ZRUU
EN PLUS, ILS ONT L'AIR FÉROCE...
C'ÉTAIT DONC ÇA, LE VÉRITABLE BUT DE CETTE STRATÉGIE DES PIÈGES...!!
!!
TU ES UN PAUVRE RAT QUI A DÉJÀ UN PIED DANS LA TOMBE...
PRÉPARE-TOI À REJOINDRE LES TÉNÈBRES...

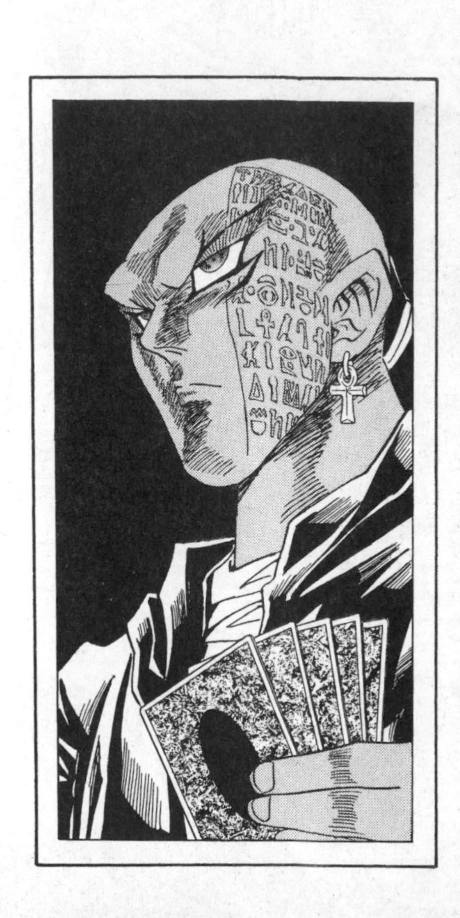

GROO GROO
GROO GROO
ZDOOO ZDOO
ZDOO
LE MONSTRE PIÈGE, "LA DÉIFICATION D'ANUBIS"!
IL EN A INVOQUÉ TROIS À LA FOIS !!
LA DÉIFICATION D'ANUBIS
Attaque
1600
Battle 212
CELUI QUI RESPECTE LE DUEL
ÇA PUE...
ÇA DEVIENT VRAIMENT CRITIQUE !!!
LE PIÈGE ENGENDRE UNE ZONE D'OMBRE...
ET CELUI QUI FOULE DU PIED ET VIOLE CETTE ZONE SE RETROUVERA EN ENFER... ET CETTE OMBRE DEVIENDRA À NOUVEAU UN PIÈGE...

Battle 212
CELUI QUI RESPECTE LE DUEL

OUPS...
VLAF
JE MASQUE UNE CARTE !!
ET JE TERMINE MON TOUR !!!
MERDE... PLUS J'ATTAQUE, PLUS JE PLONGE DANS SES PIÈGES...
JE SUIS EN TRAIN DE M'ENLISER DANS SON PLAN...
SHUUU

JÔNO-UCHI !
IL A INVOQUÉ SES MONSTRES PIÈGES...
MARIK A OBTENU CE QU'IL VOULAIT !
L'EFFET DE LA CARTE "MONSTER BOX" DE JÔNO-UCHI DISPARAÎTRA À LA FIN DE CE TOUR.
SI, AU TOUR SUIVANT, JÔNO-UCHI SUBIT UNE ATTAQUE COLLECTIVE DES MONSTRES PIÈGES... IL VA PERDRE TOUS SES MONSTRES ET UNE BONNE PART DE SES POINTS DE VIE.
ZRUU
ZRUU
ZRUU
LE SOLDAT ROCKET Attaque 1500
LE SOLDAT WEBURN Attaque 1500
À MON TOUR...

GROOO
GROOO
GROO

JÔNO-UCHI, PRENDS GARDE À TOI !

...
PAS ENCORE...
JE PEUX ENCORE RÉSISTER PENDANT CE TOUR...

J'AI MASQUÉ LA CARTE "SCAPE GOAT"!!
CONTRE LES TROIS CARTES ANUBIS, MES QUATRE BOUCS ME SERVIRONT D'ÉCRAN...
SCAPE GOAT
(carte de magie)
Jusqu'à quatre boucs prennent place dans le jeu et protègent le joueur. Par contre, le joueur ne pourra pas invoquer de monstre.
MAIS POUR LE TOUR SUIVANT...
JE N'AI AUCUNE CARTE POUR ME REFAIRE...
L'ENTERREMENT ABSURDE
(carte de magie)
Le joueur prend l'une de ses cartes pour la placer dans le cimetière des cartes du camp ennemi.
COMMENT M'EN SORTIR...?!

LES TROIS "DÉIFICATION D'ANUBIS" PASSENT À L'ATTAQUE !!
ZDOO
KAAAH
ZDOO
ZDOO
ZDOO
URGL
JONO-UCHI-!!!

MAINTE-
NANT !!
JE
DÉVOILE
MA
CARTE !!
ZDOM
ZDOM
LA
CARTE
DE
MAGIE
"SCAPE
GOAT"!
DONG
JE
VIENS DE
CONTENIR
L'ATTA-
QUE
DES TES
ANUBIS !!
BIEN !!
IL A
ÉVITÉ
L'ATTA-
QUE !!
ZDOO
ZDOO
BIEN
JOUÉ,
JÔNO-
UCHI !
FUH..

DONG
PAS SI SIMPLE !!!
KYI
HEIN ?
BLAM
"L'ANTI-SORT"!!
L'ANTI-SORT (carte de magie)
Annule tous les sorts de magie reçus.
"L'ANTI-SORT" ...!!
!!
LES BOUCS VONT DISPARAÎTRE...

VLAASH
ZDOO ZDOO
ZDOO
JÔNO-UCHI...

ZBAAAAAA
GWARPS!!
WAAW!!

LE SOLDAT ROCKET EST DÉTRUIT !!!
LE SOLDAT WEBURN EST DÉTRUIT !
ET LE JOUEUR SUBIT DES DOM-MAGES !!
ZUM
URKS !!
JÔNO-UCHI Points de vie 50
JÔNO-UCHI !!!

TON NIVEAU DE COMBAT...
... EST INSUFFISANT POUR ME BATTRE...
...

FUH FUH ...
LES MONSTRES DE JÔNOUCHI SONT DÉTRUITS ...
IL NE LUI RESTE QUE PEU DE POINTS DE VIE.

RISHIDO, TU N'AS PLUS GRAND-CHOSE À FAIRE...
IL NE VA PAS TARDER À CAPITULER...

SANS AUCUN DOUTE ...

FUHM...
VU LE NIVEAU DE JÔNOUCHI...
IL N'IRA PAS PLUS LOIN...

JÔNOUCHI, RESSAISIS-TOI !
DEBOUT !! ALLEZ, RELÈVE-TOI !!

JÔNOUCHI !!

JE N'AI PLUS RIEN...
JE NE VOIS PAS...

C'EST LA FIN...

ALLEZ ! TU DOIS ASSURER !!!
MON FRÈRE !!!
...
SHIZUKA...
TU T'ES TOUJOURS TRÈS BIEN DÉFENDU !
POUR TOI ET POUR TES AMIS !
TU M'AS LIBÉRÉE DE L'OBSCURITÉ POUR ME REDONNER LA LUMIÈRE !!

IL L'A LIBÉRÉE DE L'OBSCURITÉ POUR LUI DONNER LA LUMIÈRE...

MÊME SI...
... TU NE GAGNES PAS.
JE NE VEUX PAS VOIR MON FRÈRE CAPITULER ...
SHIZUKA...

JÔNOUCHI, T'ES UNE VÉRITABLE BUSE !!

JÔNOUCHI...
AVANT D'EN FINIR, VEUX-TU RÉPONDRE À MA QUESTION ?

POURQUOI T'ES-TU ENGAGÉ DANS CE TOURNOI ?

MOI...
IL Y A QUELQU'UN QUE JE DOIS VAINCRE...

!

POUR PARVENIR JUSQU'À LUI...
J'AI CROISÉ DE NOMBREUSES PERSONNES...
... ET JE ME SUIS BATTU CONTRE ELLES.
C'EST CE QUI M'A CONDUIT AU BATTLE CITY...

BON, ÇA IRA POUR CETTE QUESTION !
ET MAINTENANT, À MOI DE TE DEMANDER QUELQUE CHOSE !
REMBALLE TON "AVANT D'EN FINIR"!!
JE N'AI PAS ENCORE PERDU !!
JONOUCHI !!!
MON FRÈRE !!!
SI J'ABANDONNAIS POUR SI PEU...
ÇA SERAIT MANQUER DE RESPECT À TOUS CEUX QUI SE SONT BATTUS CONTRE MOI.

ILS SE SONT TOUS DÉFENDUS JUSQU'AU BOUT, SANS CAPITULER !
GROSSE PÊCHE
GROSSE PÊCHE
MAIS ...
TU NE PEUX PLUS RIEN FAIRE...
UN DUELLISTE DOIT SAVOIR PERDRE AVEC DIGNITÉ.

À MOI DE JOUER !!!
JE TIRE UNE CARTE !!
MÊME SI MES CHANCES SONT PROCHES DE ZÉRO...
MAIS CETTE MAIN NE FLANCHERA PAS !!
JAMAIS !!!

EXCUSE-MOI, L'AMI...
!

DOM

JONO-UCHI !!!
...!!

UNE CHOSE VISIBLE
MAIS QU'ON NE PEUT PAS VOIR !

LE COURAGE DE TIRER UNE CARTE INVISIBLE DE TON TAS DE CARTES VISIBLES !!!
VLAF
OUAIS !!!
MAIS LA FORCE DE CROIRE EN CETTE CARTE EST À LA BASE DU COURAGE DU DUELLISTE !!
UNE PROIE QUI S'ES-SOUFFLE ...
DOM
JE PLACE DEUX CARTES MAS-QUÉES ET JE TERMINE MON TOUR !
JE DOIS L'ACHE-VER...
ZDOO ZDOO ZDOO
MES ANUBIS !! ACHEVEZ-MOI CET ENNEMI !!

ZDOO
ZDOO
ZDOO
ZDOO
ONO-UCHI !!!
BLAM
L'ENTERREMENT ABSURDE
(carte de magie)
Le joueur prend l'une de ses cartes pour la placer dans le cimetière des cartes du camp ennemi.
JE DÉCLENCHE LA CARTE DE MAGIE !!
LE PROFANATEUR DE TOMBES
(carte piège et de magie)
Elle va récupérer un monstre ennemi déposé dans le cimetière des cartes.
BLAM
JE DÉVOILE MA CARTE !!
ET EN PLUS !
QUOI...

ZBAAM
ZBAAM
GYAAAAAA!!
ZDOOO
COMMENT ?!
MES MONSTRES PIÈGES SONT DÉCIMÉS !!
ZDOOO

ZDOO
ZDOO
"PSYCHO SHOCKER"!
ZDOO
CETTE CARTE DÉTRUIT TOUS LES PIÈGES EN JEU ET EN LA COMBINANT AVEC "LE PROFANATEUR DE TOMBES", JE VAIS RÉUSSIR À CONSTITUER UN COMBO !!
PSYCHO SHOCKER
Lorsqu'il se trouve dans la partie, l'adversaire ne peut pas utiliser de carte piège.
Attaque 2400
Défense 1500
C'EST UNE CARTE QUE J'AI RÉCUPÉRÉE SUR L'UN DE MES ANCIENS ADVERSAIRES !!

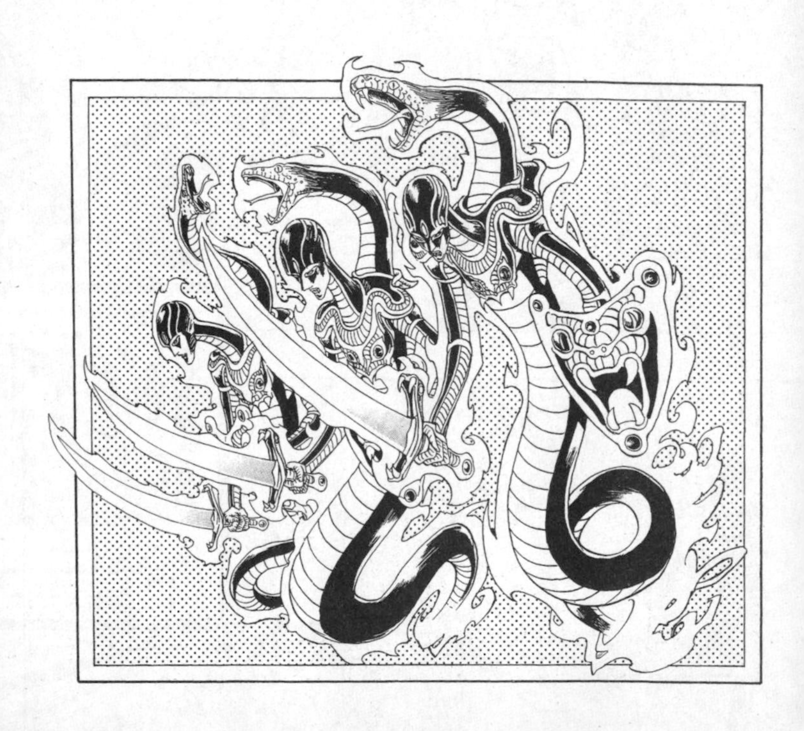

"PSYCHO SHOCKER"!!
ZDOO ZDOO
ZDOO
ZDOO ZDOO
ZDOO
ZDOO
ZDOO ZDOO
ZDOO ZDOO
Battle 213
UNE CARTE SURPRENANTE

ZBAAM
SON POUVOIR VA DÉTRUIRE TOUTES LES CARTES PIÈGES !!
ZBAAM
ZBOOM
UN MONSTRE D'UNE CATÉGORIE SUPÉRIEURE, CAPABLE DE DÉTRUIRE LES PIÈGES...!
PSY-CHO SHO-CKER !!!
WOOOW
NUOW!!!

ZRUU
ZRUU
ZRUU
QUE FAIT UNE TELLE CARTE DANS SON JEU ?!
EHHE !!!
C'EST LA PIRE CHOSE QUI POUVAIT ARRIVER À TES CARTES PIÈGES !!
...

C'EST BIEN !
JÔNO-UCHI, VAS-Y !!!
EN REMPORTANT DES VICTOIRES, IL A FINI PAR RENFORCER SON JEU DE CARTES !
SI JE N'AVAIS PAS RÉCUPÉRÉ CETTE CARTE AUPRÈS DE ROBA, JE PERDAIS LA PARTIE...
MES VICTOIRES PRÉCÉ-DENTES M'ONT RENFORCÉ !!!
ON Y VA !!!
ENCORE À MOI DE JOUER !!!

ZGRAAAA
ZGRAAAAAA
"PSYCHO SHOCKER" ATTAQUE MARIK !!
ZGRAAAAAA
ZGRAAAAAA
UNE ATTAQUE ÉLECTRIQUE SUR LE CERVEAU !!
ZGRAAA
GWARPS...

MARIK (RISHIDO)
Points de vie
1600

BiEN !!!
PSYCHO SHOCKER, ON DOIT CONTINUER COMME ÇA !
JÔNO-UCHI
Points de vie
50

FUH ...
...

JE TE FÉLICITE POUR TON ACTION...
JÔNO-UCHI.

...
...!

MALGRÉ LE PEU DE POINTS QU'IL TE RESTE...
TU AS RÉAGI COMME UN VÉRITABLE DUELLISTE !!

RIEN À FOUTRE DE TES COMPLIMENTS !!!

AVEC TON LAVAGE DE CERVEAU, TU AS VOULU BRISER LE LIEN QUI ME RELIE À MES AMIS. TU VAS ME LE PAYER !!
...
BLAM
JE VAIS TE RÉGLER TON COMPTE !!

JÔNO-UCHI, TIENS BON !

J'AI TERMINÉ MON TOUR !!!
À MOI DE JOUER...
RISHIDO...
CE MINUS DE JÔNO-UCHI A RÉUSSI À LE DÉSTABILISER...
S'IL TE PLAIT, NE ME DÉÇOIS PAS...

SEIGNEUR MARIK, NE VOUS INQUIÉTEZ PAS.
JE N'AI RIEN À CRAINDRE DE SA CARTE, J'AI DÉJÀ LA PARADE EN MAIN...
RISHIDO, TU ES MA DOUBLURE, TU DOIS TENIR JUSQU'À LA FIN DU TOURNOI.
PENDANT CE TEMPS, JE VAIS RÉFLÉCHIR À UN PLAN...

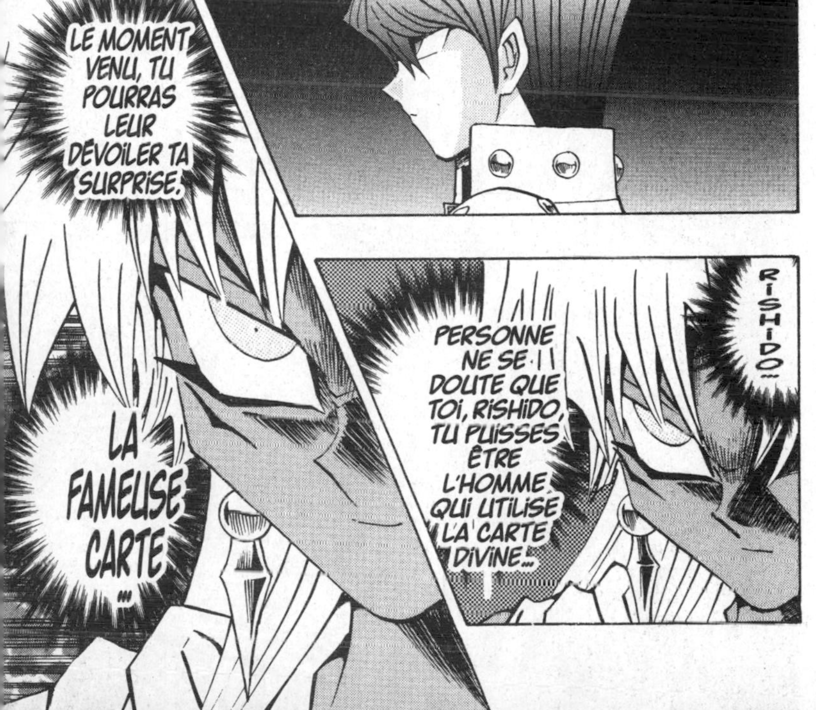
LE MOMENT VENU, TU POURRAS LEUR DÉVOILER TA SURPRISE.
RISHIDO...
PERSONNE NE SE DOUTE QUE TOI, RISHIDO, TU PUISSES ÊTRE L'HOMME QUI UTILISE LA CARTE DIVINE...
LA FAMEUSE CARTE...

"PSYCHO SHOCKER" L'EMPÊCHE D'UTILISER DES PIÈGES !!
À MOI DE JOUER !
ON Y VA !
ZBAAAAA
JE DÉCLENCHE LA CARTE DE MAGIE !!
" L'ÉPÉE QUI ENFERME LA LUMIÈRE" !!
L'ÉPÉE QUI ENFERME LA LUMIÈRE
(carte de magie)
Cette carte de magie peut, grâce à "l'épée de lumière divine", enfermer les monstres ennemis pendant 3 tours !
!!

"L'ÉPÉE QUI ENFERME LA LUMIÈRE" !!!
MES MONSTRES NE POURRONT PAS ATTAQUER PENDANT TROIS TOURS ?!
MERDE, IL Y ÉTAIT PRESQUE !!
IL AVAIT RÉUSSI À CONTENIR LES PIÈGES -
MON TOUR EST TERMINÉ ...
À MOI !!
JE PIOCHE UNE CARTE !!!

ZDOO ZDOOO
JE NE PEUX PAS ATTAQUER, MAIS JE VAIS PLACER DES MONSTRES DANS LE JEU.
ZDOO
JE PLACE "LE LÉGENDAIRE FISHERMAN" EN POSITION DE DÉFENSE !!

KAJIKI, C'EST TA CARTE !
J'AI BESOIN DE TA FORCE !!
LE LÉGENDAIRE FISHERMAN
★★★★
Il augmente sa puissance en mer.
Attaque 1850
Défense 1600
VLAF
ZDOO
JE PIOCHE UNE CARTE.
ZDOO
À MON TOUR...

UHM...
MAIS CETTE CARTE ?!!
DONG

ON DIRAIT QU'IL A RÉUSSI À LA TIRER...
LA FAMEUSE CARTE...

QUE FAIT-ELLE DANS MON JEU...?

...!

JE L'AI GLISSÉE DANS TON TAS, AVANT LE DÉBUT DE LA PARTIE...
POUR QUE LES AUTRES CONTINUENT À CROIRE QUE TU ES MARIK...

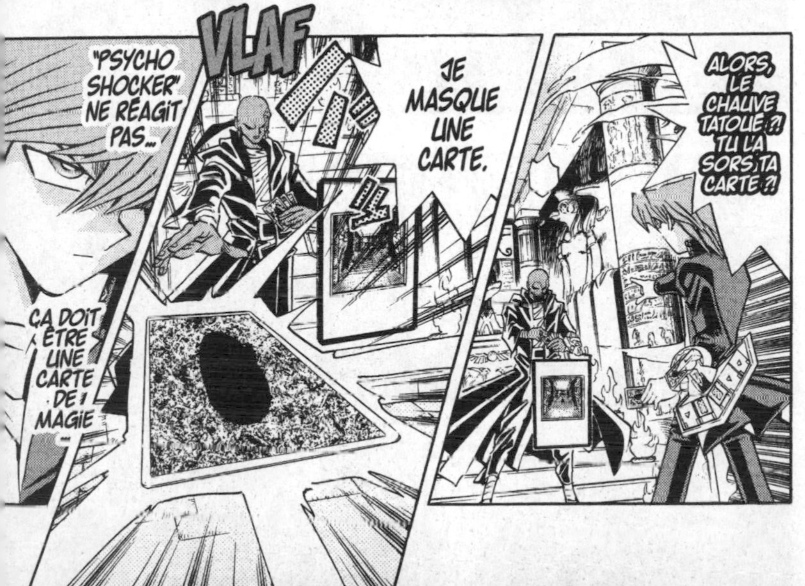
ALORS, LE CHAUVE TATOUÉ ?! TU L'A SORS TA CARTE ?!
JE MASQUE UNE CARTE.
VLAF
"PSYCHO SHOCKER" NE RÉAGIT PAS...
ÇA DOIT ÊTRE UNE CARTE DE MAGIE ...

RISHIDO, TU DOIS PLACER CETTE CARTE DANS LE SANCTUAIRE...
AVEC LA CARTE "LE SANCTUAIRE ROYAL" IL SUFFIT DE POSER UNE CARTE DANS SA ZONE DIVINE, POUR LA RENDRE INSENSIBLE AUX ATTAQUES ET SORTS MAGIQUES.

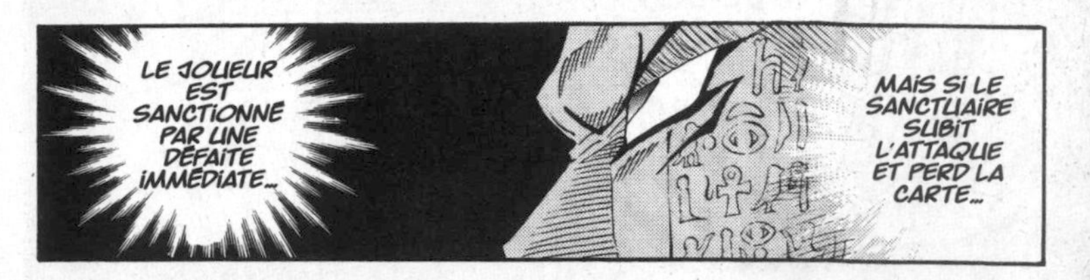
MAIS SI LE SANCTUAIRE SUBIT L'ATTAQUE ET PERD LA CARTE...
LE JOUEUR EST SANCTIONNE PAR UNE DÉFAITE IMMÉDIATE...

NE T'IN-QUIÈTE PAS.
CETTE CARTE EST INVINCIBLE !!!!!
ZRUUU ...
ZRUUU
ズズ
GROOOOO
ゴオオオオ
DEPUIS QU'IL A TIRÉ SA DERNIÈRE CARTE, SON ATTITUDE EST CURIEUSE...
QUE SE PASSE-T-IL ?
MON AUTRE MOI...

IL Y A UNE CHOSE QUI M'INTRIGUE...
CE COFFRET SACRÉ DANS LE SANCTUAIRE...

TOI AUSSI, TU ES INTRIGUÉ ?

"LE SANCTUAIRE ROYAL" PERMET D'UTILISER DEUX CARTES PIÈGES EN MÊME TEMPS.
LE TOUT POUR PROTÉGER QUELQUE CHOSE QUI EST À L'INTÉRIEUR !!!

CE COFFRET ENFERME UN SECRET !!

JÔNO-UCHI DOIT FAIRE ATTEN-TION !!
ALORS ?! TU AS FINI TON TOUR ?!
NON, PAS ENCO-RE...

EN PLUS !!!
JE VAIS PLACER UNE CARTE DANS LE COFFRET DU SANCTUAIRE !!!
ZOOM
GROO
!!
GROO GROO
QUEL GENRE DE CARTE...?
CE N'EST QUAND MÊME PAS...?!
ENFERMER UNE CARTE ?!?!
GROOO GROO
GROOO
MON TOUR EST TERMINÉ ...

PARFAIT...

À MOI !!!
J'INVOQUE "BABY DRAGON"!!
ET JE TERMINE MON TOUR !
ZDOO ZDOO
ZDOO
BLAM
À MOI MAIN-TE-NANT !!!
JE MASQUE UNE CARTE.
ET JE TER-MINE CE TOUR !

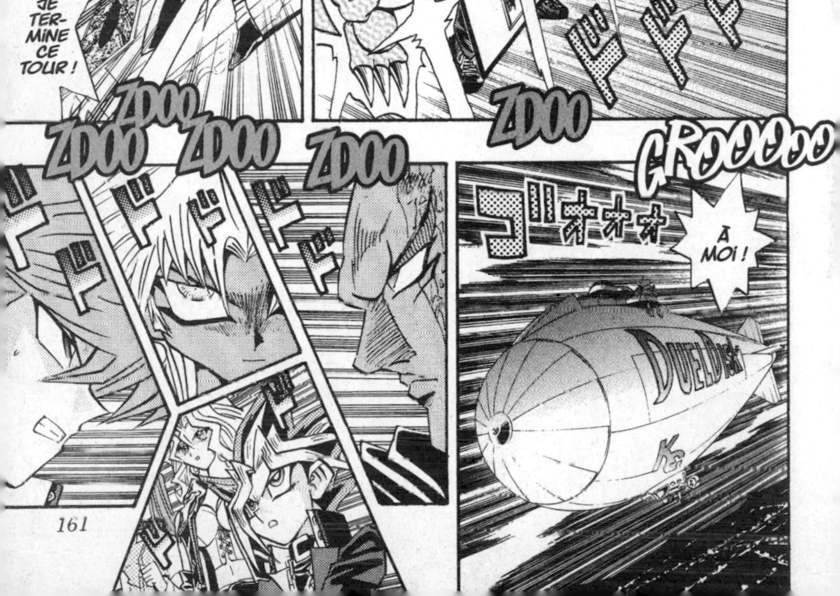
GROOOOOO
À MOI !
ZDOO
ZDOO ZDOO ZDOO
DUEL DISK

BON !! AU TOUR SUIVANT, JE VAIS ÊTRE LIBÉRÉ DU SORT DE TA CARTE "L'ÉPÉE QUI ENFERME LA LUMIÈRE"!
TU N'AS PAS UN SEUL MONSTRE DANS TON CAMP !
L'ATTAQUE DE TOUS MES MONSTRES VA TE RÉDUIRE EN CENDRES !!

J'AI DÉJÀ PRIS MES PRÉCAUTIONS.
"L'ÉPÉE QUI ENFERME LA LUMIÈRE", C'ÉTAIT POUR PRÉPARER LA CÉRÉMONIE.
COMMENT ?!
ZRUU
ZRUU

LES TROIS CARTES QUE J'AI MISES EN JEU...
LES CARTES DE MAGIE ONT LE POUVOIR D'APPELER LE GARDIEN DES DIEUX QUI PROTÈGE UNE CARTE SACRÉE !!
LE GARDIEN DES DIEUX ?!
TU N'AS QU'À OBSERVER LA SUITE.

ZDOM
JE DÉVOILE MES CARTES !!
ZDOM
L'EMBLÈME DU MONSTRE SACRÉ SERKET
LA COUPE QUI ENFERME L'ESPRIT
LE SANCTUAIRE ROYAL.
L'EMBLÈME DU MONSTRE SACRÉ SERKET
Elle permet d'invoquer le monstre sacré Serket, lorsque les cartes "le sanctuaire royal" et "la coupe qui enferme l'esprit" sont réunies.
LE SANCTUAIRE ROYAL (carte de magie perpétuelle)
Normalement, pendant un tour, un joueur ne peut sortir qu'une seule carte piège ou de magie. Mais celle-ci permet de sortir deux cartes pièges en même temps.
LA COUPE QUI ENFERME L'ESPRIT
Elle permet d'invoquer le monstre sacré Serket, lorsque les cartes "le sanctuaire royal" et "l'emblème du monstre sacré Serket" sont réunies.
GRO
GRO
LORSQUE LA CARTE ENFERMÉE DANS LE COFFRET DEVIENT DIVINE...
... IL FAUT RÉUNIR LES TROIS CARTES DE MAGIE QUI SERVIRONT À LA CÉRÉMONIE.
GRO
ET CES CARTES...
GRO
GRO
... PERMETTRONT D'INVOQUER LE MONSTRE SACRÉ !!
GRO
...
GRO
GRO

ZDOO
ZDOO
ZDOO ZDOOO
ZDOO
J'INVOQUE LE MONSTRE SACRÉ SERKET !!

UWAAAW, C'EST QUOI CE TRUC ?!
ZDOO
ENCORE UN MONSTRE INSENSÉ !!
ZDOOO ZDOO
CE MONSTRE SACRÉ PROTÈGE LA CARTE QUI EST ENFERMÉE DANS LE COFFRET...!!
GROOO GROOO
LA CARTE DIVINE "LE DIEU SOLEIL RÂ"!!
GROOO

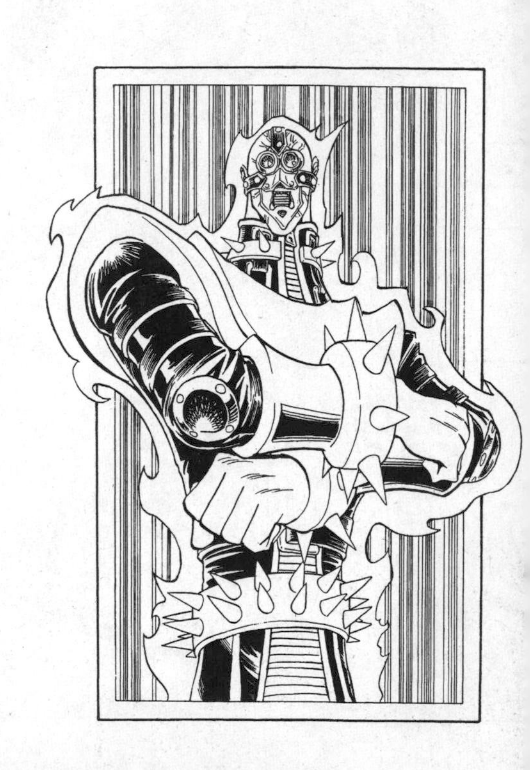

Battle 214

LA VENGEANCE D'UNE FAMILLE !!

ZRUU
JE N'AI PLUS BEAUCOUP DE POINTS DE VIE...
ZRUUM
QUE FAIRE CONTRE UN MONSTRE AUSSI BALAISE ?!
JÔNO-UCHI
Points de vie 50
MARIK (RISHIDO)
Points de vie 1600

ZRUU
ZRUU
COMMENT FAIRE ?
ZRUU

JÔNO-UCHI !!!
IL N'A RIEN EN MAIN POUR GAGNER ?!
...

AU TOUR SUIVANT, JÔNO-UCHI VA PERDRE L'EFFET DE SON ÉPÉE...
S'IL NE TROUVE PAS UNE SOLUTION, TOUS SES MONSTRES VONT DISPARAÎTRE !!!

LES TROIS MONSTRES NE POURRONT RIEN CONTRE LES 2500 POINTS D'ATTAQUE DE SERKET !!

JÔNO-UCHI, ARRÊTE DE TREMBLER, T'ES RIDICULE !
MON FRÈRE VA DÉTRUIRE CE MONSTRE EFFRAYANT !!!
FACILE À DIRE !
Z'AVEZ VU LE MONS-TRE...?!
WOOOW
YÛGI...
SI CE MONSTRE SERT DE GARDIEN À CELUI QUI EST DANS LE COFFRET ...?
QU'EST-CE QUI EST CACHÉ DANS CE FAMEUX COFFRET ?
MOI AUSSI, ÇA M'INTRIGUE...
NE ME DIS PAS QUE...
UNE CARTE DIVINE ...

SI JE NE ME TROMPE PAS ...
MARIK DOIT AVOIR CETTE CARTE SUR LUI.

GROO
GROO
GROO
UNE CHOSE QUE L'ON VOIT, MAIS QUI RESTE INVISIBLE...

POUR QUELLE RAISON, LE SEIGNEUR MARIK A-T-IL GLISSE CETTE CARTE DIVINE DANS MON JEU ?

HE HE... RISHIDO, TU ME SERS DE DOUBLURE...
ÇA TE DONNE LE DROIT DE POSSÉDER UNE CARTE DIVINE...

ET ÇA TE REND PLUS CRÉDIBLE DANS MON RÔLE.

MAIS CETTE CARTE...

GRO GRO
ÇA AUSSI, C'EST UNE DOUBLURE...
C'EST UNE COPIE !!
AVEC LA TECHNOLOGIE DONT NOUS DISPOSONS... NOUS, LES GHOULS, N'AVONS AUCUN MAL À REPRODUIRE UNE CARTE DIVINE...

BIEN ENTENDU, LA CARTE QUE JE POSSÈDE EST UNE AUTHENTIQUE CARTE DIVINE.
ZRUU
ズ
ZRUU
ズ
ZRUU
ズ

IL NE FAUT PAS S'INQUIÉTER...
CELUI QUI UTILISE UNE FAUSSE CARTE PEUT AVOIR DES PROBLÈMES. ÇA DÉPEND DE CELUI QUI L'UTILISE.
AU CENTRE DES GHOULS, NOUS AVONS MENÉ DIFFÉRENTES EXPÉRIENCES AVEC DES COPIES...
LE RÉSULTAT...
CERTAINS JOUEURS DEVENAIENT FOUS, D'AUTRES PARALYSÉS...
DANS LE PIRE DES CAS, À L'INVOCATION DU DIEU, IL MOURAIT...
L'ON NE SAIT PAS S'ILS ONT SUBI LA COLÈRE DU DIEU.

MAIS LES EXPÉRIENCES NOUS ONT APPRIS UNE CHOSE.
LE DIEU SOLEIL RÂ

UNE COPIE DE CARTE DIVINE RÉAGIT DIFFÉREMMENT SELON L'INDIVIDU.
JUSQU'À PRÉSENT, LES DUELLISTES TESTÉS N'AVAIENT PAS UNE ÂME SUFFISAMMENT RÉSISTANTE POUR L'ACCEPTER.

MAIS POUR CELUI QUI EST LE GARDIEN DES TOMBES ROYALES DEPUIS 3000 ANS...

RISHIDO...
TOI QUI M'AS TOUJOURS SERVI... MOI LE GARDIEN DES TOMBES ROYALES, TU POURRAS UTILISER CETTE CARTE !!
...!
KAAH
SEIGNEUR MARIK, JE SUIS DÉSOLÉ, MAIS...
... JE VAIS GAGNER SANS FAIRE APPEL À CETTE CARTE !!

JE TERMINE MON TOUR !
ZRUU
LE LÉGENDAIRE FISHERMAN Attaque 1850 Défense 1600
PSYCHO SHOCKER Attaque 2400 Défense 1500
BABY DRAGON Attaque 200 Défense 700
SERKET Attaque 2500
ZRUU
ZRUU
ET LE SORT DE "L'ÉPÉE QUI ENFERME LA LUMIÈRE" EST DISSIPÉ !
SUIP
URKS !!
OUCH...!!!
QU'EST-CE QU'IL PEUT FAIRE ?!
COMMENT BATTRE SERKET ?!
JE PIOCHE UNE CARTE !
VLAF
NUL !!!
PAS DE MONSTRE COSTAUD !!!
NI "LA RÉSURRECTION DES MORTS"...!!

JE LAISSE MES MONSTRES EN POSITION DE DÉFENSE.
MON TOUR EST TERMINÉ !!!
VRAAAAAA
GLOUPS
À MOI MAINTENANT...
VRRRR
L'ATTAQUE DE SERKET !!!
GRAAAA
CONTRE "PSYCHO SHOCKER" !!!
GRAAA

IL... IL EST EN TRAIN DE LE BOUFFER !!!
BZZZZZI
BZZZZZI
GROG
GROG
GROG
BZZI
BZZI
BLORTCH
BLORTCH
UERPS...
ZOMB
KYAAA
BLORTCH
SGROG
SGROG
TU AS VU COMME SON POUVOIR SPÉCIAL FAIT FROID DANS LE DOS...?
UN POUVOIR SPÉCIAL ?!
SERKET S'IMMISCE DANS LE CORPS DE SON ENNEMI,
IL LE DÉROBE ET RÉCUPÈRE LA MOITIÉ DE SES POINTS D'ATTAQUE.
SGROG
COMMENT ?!
SGROG

ZDOOO
IL RÉCUPÈRE DES POINTS D'ATTAQUE DE SES ENNEMIS !
3700 POINTS D'ATTA-QUE !!!!
ZDOO
S'IL NE LE STOPPE PAS, IL VA DEVENIR INVIN-CIBLE !
LE MONSTRE SACRÉ SERKET
Attaque 3700
ET EN PLUS, IL EST ENCORE EN TRAIN DE CHANGER D'ASPECT !
JONO-UCHI !!!
ZRUU
ZRUU
NON !!!
JE NE PEUX RIEN FAIRE SUR CE COUP !!!
JE TERMINE MON TOUR !!
ZDOO
ZDOO
ZDOO
ZRUU
À MOI DE JOUER !!
L'ATTA-QUE DE SERKET !!!

LE "LÉGENDAIRE FISHERMAN" EST DÉTRUIT !!
SCRAC
SCRAC
SCRAC
IL LUI PREND DES POINTS D'ATTAQUE !!
LE MONSTRE SACRÉ SERKET
Attaque 4625
JÔNO-UCHI !!
IL FAUT CONTINUER À CROIRE ! TU SORTIRAS CERTAINEMENT LA BONNE CARTE AU TOUR SUIVANT...
ZDOO
URK...
PAR-DONNEZ-MOI ...!!
ZDOO ZDOO
MON FRÈRE !
LES CARTES QUE VOUS M'AVEZ DONNÉES...
NON...
JE NE VEUX PLUS VOIR CE SPECTACLE ...!!

...
KRIII
SHIZUKA !
REGARDE-MOI !!
NE T'ÉCHAPPE PAS !

...!
JE VAIS PEUT-ÊTRE PERDRE, MAIS...
MAIS TU DOIS CONTINUER À REGARDER JUSQU'À LA FIN.

MON FRÈRE...
TU AS RÉUSSI À TROUVER LA LUMIÈRE DANS L'OBSCURITÉ !
LA LUMIÈRE QUI S'APPELLE LE COURAGE !!
TU NE DOIS PLUS FUIR L'OBSCURITÉ !
OUI !!!

!
TROUVER LA LUMIÈRE DANS L'OBS-CURITÉ...
MA VIE AUSSI...
... A COMMENCÉ DANS UNE ENTRÉE OBSCURE...
OUIIIN
OUIIIN
OUIIIN
IL Y A 25 ANS, ON M'A ABANDONNÉ AU BORD D'UN PUITS. C'EST AINSI QUE LE COUPLE ISHTAR M'A ADOPTÉ...
ILS M'ONT ÉLEVÉ DANS LES PROFONDEURS DES SOUTERRAINS À L'ABRI DES REGARDS.
TOUT EN ESSAYANT D'ATTEINDRE CETTE INACCESSIBLE LUMIÈRE...

LORSQUE J'AI EU 4 ANS...
J'AI SURPRIS PAR HASARD UNE CONVERSATION QUI EXPLIQUAIT LE DEVOIR DE GARDIEN DES TOMBES DE LA FAMILLE ISHTAR...
DEUX OBJETS MILLÉNAIRES QUI REPOSAIENT AU FOND DES TÉNÈBRES.
IL S'AGISSAIT DE PRÉSERVER LE SECRET ROYAL DATANT DE PLUS DE 3000 ANS.
SI JAMAIS L'ON N'ARRIVE PAS À AVOIR UN GARÇON...
RISHIDO DEVRA DEVENIR LE GARDIEN...
NOUS DEVRONS L'ADOPTER OFFICIEL-LEMENT, LORSQU'IL AURA DIX ANS...
...
LE DEVOIR DE GARDIEN DES TOMBES ?!?!
UN AN PLUS TARD NAISSAIT UNE PETITE FILLE...
AU GRAND DÉSES-POIR DE LA FAMILLE...

ET QUATRE ANS APRÈS NAISSAIT MARIK...
OUIIIN
MAIS LA MÈRE N'A PAS SURVÉCU À LA NAISSANCE ET S'EN EST ALLÉE...

UN ENFANT HÉRITIER DU SANG DES GARDIENS DES TOMBES ROYALES...

RESPEC-TANT LA LIGNÉE DES TÉNÈ-BRES...

LE TEMPS S'ÉCOULA...

HÉ, RISHIDO... TU SAIS CE QU'EST LE DEVOIR DU GARDIEN DES TOMBES ?
NON ...
JE M'EN DOUTAIS.
TU N'AS JAMAIS VU LE DOS DE MON PÈRE !
LE DEVOIR DU GARDIEN DES TOMBES ...
UN DEVOIR QUI SE TRANSMET DE GÉNÉRATION EN GÉNÉRATION.
LES DESCENDANTS PORTENT EN TATOUAGE LE SECRET DE LA MÉMOIRE DU SOUVERAIN. UN SECRET QU'ILS DOIVENT PRÉSERVER TOUTE LEUR VIE.
LA SEMAINE PROCHAINE, POUR L'ANNIVERSAIRE DE MES DIX ANS, JE VAIS ÊTRE DÉSIGNÉ POUR CETTE MISSION.
SAIS TU À QUEL POINT JE VAIS SOUFFRIR ?
ÇA FAIT TELLEMENT MAL QUE JE VAIS HURLER PENDANT PLUS D'UN MOIS...
POURQUOI DOIS-JE SUBIR UNE CHOSE PAREILLE...
DIS-MOI, RISHIDO ?
TU NE VEUX PAS ACCOMPLIR CE DEVOIR À MA PLACE ?!
TOI QUI ES À MON SERVICE DEPUIS TOUJOURS !
SI TU FAIS ÇA...
TU SERAS CONSIDÉRÉ COMME UN VÉRITABLE MEMBRE DE LA FAMILLE !
D'ACCORD?

KLOUP

COMMENT ?!
TU VEUX ACCOMPLIR LE DEVOIR DE GARDIEN ?!
OUI...
JE VEUX CONTINUER À PROTÉGER LE SECRET DE LA FAMILLE !
C'EST MARIK QUI T'A DEMANDÉ CELA ?
NON, C'EST MON INITIATIVE !!!
TOI, LE DOMESTIQUE...
MAIS...
J'AI UNE CHOSE À VOUS DEMANDER...
UNE FOIS MON DEVOIR ACCOMPLI...
MAÎTRE ISHTAR...
LAISSEZ-MOI VOUS APPELER PÈRE...
NON !!!
TU NE POSSÈDES PAS EN TOI LE VÉRITABLE SANG DE NOTRE LIGNÉE !
NE T'AVISE PLUS JAMAIS DE PARLER DE NOTRE SECRET FAMILIAL !
SI TU LE FAIS, JE T'ARRACHERAI LA LANGUE ET TU DEVRAS MOURIR !
!!

ET LE JOUR DE L'ANNIVERSAIRE DE MARIK EST ARRIVÉ...
ZAK
ZAK
UWAAAAW !! NOOOON !! ARRÊTEZ !!
RAAAAAH !!
URRRRG !!
ZAK
ZAK
URGS !
...
GWAAAAW !!
URGS !
SEIGNEUR MARIK...!!

OUP
URK!!
URK!!
...
RIS-HIDO... QUI DOIS-JE...
QUI DOIS-JE HAÏR...?
DIS-LE-MOI...
!!

PTOP
PTOP
DOM

RISHI-DO...!!

JE NE PEUX PAS VOUS ENLEVER VOTRE SOUFFRANCE...
JE COMPATIS POUR CETTE BLESSURE...

LAISSEZ-MOI EXPRIMER MA FIDÉLITÉ ET MA LOYAUTÉ ENVERS VOTRE FAMILLE...

UN TOUR FATAL !! FIN

Le tome 25 paraîtra en septembre 2003

La galerie des Lecteurs
Céline COQUELET
15 ans

Solenne PONZO
16 ans
Divonne-les-bains

Envoyez-nous vos illustrations ou planches (2 maxi SVP!) à :

KANA, 15/27 rue Moussorgski, 75018 Paris

KANA, 7 avenue Paul-Henri Spaak, 1060 Bruxelles

Attention ! Les originaux ne sont pas retournés.

Prévoyez une bonne photocopie.

N'oubliez pas d'indiquer vos nom, âge et ville au dos de chaque dessin.

En quête du véritable Yûgi...

Cela faisait déjà plusieurs années que les fans l'attendaient et l'éditeur japonais de Yû-Gi-Oh a enfin exaucé leur vœu : voici le premier art-book sur le manga de Kazuki Takahashi. Petite revue de détail.

Depuis quelques années le marché des mangas japonais a changé et on était en droit de penser que les art-books avaient fait leur temps, que les éditeurs japonais n'en sortiraient plus. C'était sans compter sur le très grand succès rencontré par toutes les séries de l'hebdomadaire Shônen Weekly Jump depuis 2000 et leur adaptation en dessin animé : Hunter X Hunter, One Piece, Prince Of Tennis, Yû-Gi-Oh, Shaman King, Hikaru No Go, Naruto sont autant de séries publiées dans ce très célèbre magazine et adaptées en dessin animé ces trois dernières années. Fort de cette réussite, l'éditeur s'est décidé à lancer des art-books nouvelle formule, rebaptisés "Characters Guide Book". Il en existe pour chaque série et pour notre plus grand plaisir, Yû-Gi-Oh ne fait pas exception.

Le contenu

Au sommaire de ce petit mais épais livre, on trouve une foule d'informations très intéressantes. Jugez plutôt : une galerie d'illustrations en couleur, un dictionnaire des personnages, une encyclopédie Magic & Wizards, une enquête sur les objets millénaires, une longue interview de Kazuki Takahashi, un lexique spécial Yû-Gi-Oh et bien d'autres choses encore ! Autant dire que ce Characters Guide nous en apprend beaucoup sur l'univers créé par Takahashi et sur ses personnages.

Pour un prix très honnête (680 yens = 5,34 Euros), il permet à tout fan du manga de passer un bon et long moment de lecture. Le seul inconvénient majeur est qu'il n'est disponible qu'en japonais... Par conséquent, étant donné la quantité de textes qu'il contient, il s'avère d'un intérêt très limité pour les non japonisants. Mais gardons l'espoir! Qui sait s'il ne sera pas un jour disponible en version française... ?

Fiche technique

Titre : Yû-Gi-Oh Characters Guide Book
Shinri No Fukuin [La parole de vérité]
Auteur : Kazuki Takahashi
Éditeur japonais : Shueisha
Langue : japonais uniquement
Nombre de pages : 304
Date de sortie : 6 novembre 2002
Prix : 680 yens
Format : poche

Courrier

Les fans parlent au mangaka

Je ne vais pas être très originale en commençant par vous remercier d'avoir traduit Yû-Gi-Oh. L'adaptation est quasi parfaite ! J'admire beaucoup Kazuki Takahashi pour avoir créé ce superbe manga. Le scénario est toujours aussi passionnant, j'aime bien tous les personnages (en particulier Seto Kaiba et Bakura Ryô !). Je voudrais vous poser quelques questions : 1) Combien y a-t-il de volumes au Japon ? 2) Peut-on écrire à Kazuki Takahashi ? Si oui, à quelle adresse ? 3) Et enfin, existe-t-il des art-books de Yû-Gi-Oh (regroupant des illustrations couleurs) ?

Merci et bonne continuation !

Aurélie – Marseille (13)

Cher Kana, Hajimemashite (enchantée !). Je suis une otaku depuis pas mal d'années, mordue de japanimation, de mangas, adorant le Japon (mes origines m'y prédisposent : mon père est à moitié Japonais). Lorsque j'ai découvert Yû-Gi-Oh, ce fut une très bonne surprise. J'ai accroché très rapidement, et Yû-Gi-Oh est venu rejoindre les rangs de mes autres séries favorites, même si l'adaptation télé n'est pas très réussie et ne respecte pas (à mon goût) l'esprit du manga. Les présentations faites, j'aurais une petite question pour vous : pourriez-vous m'indiquer une adresse où je pourrais envoyer une lettre (en japonais ou en anglais) à monsieur Takahashi dont j'apprécie beaucoup le travail ? Merci d'avance.

Séverine F. 18 ans. Liévin – (62)

Chère Aurélie, Chère Séverine

Yû-Gi-Oh est une formidable série, ce n'est pas nous qui allons vous contredire ! D'ailleurs, vous êtes de plus en plus nombreux à vous manifester par courrier et sur le site Internet pour nous le dire. Depuis le début de la diffusion du dessin animé sur la chaîne française M6, la popularité de Yûgi ne cesse de grandir et vos dessins sont tous plus beaux les uns que les autres. On en veut encore ! Encore !

Neel ACEDO
13 ans
Villeneuve-la-Guyard

Courrier

En réponse à vos questions : 1) Actuellement, il existe 32 tomes du manga de Yû-Gi-Oh et la série est toujours prépubliée dans le magazine "Weekly Jump". 2) Vous pouvez bien entendu écrire à Kazuki Takahashi ! Cependant, n'oubliez pas qu'il ne lit pas le français (peut-être l'anglais mais rien n'est moins sûr). Par conséquent, il vous faudra faire un gros effort et lui écrire en japonais. Voici l'adresse de son éditeur japonais :

Kazuki Takahashi (Shônen Jump)
Shueisha Inc. • 2-5-10 Hitotsubashi • Chiyoda-ku Tokyo • 101-8050 Japan

3) Il existe de nombreux art-books sur Yû-Gi-Oh mais tous, à une exception près, portent sur le dessin animé, les jeux vidéo ou les jeux de cartes tirés du manga, et non sur le manga à proprement parler. L'exception en question est un livre sorti très récemment dont tu trouveras tous les détails dans les pages précédentes (Yû-Gi-Oh, "Shinri No Fukuin").

YU-GI-OH!

7, avenue P-H Spaak - 1060 Bruxelles

First published in Japan in 1996 by Shueisha Inc., Tokyo
French language translation rights in France arranged by Shueisha Inc.
Première édition Japon 1996

Dépôt légal d/2003/0086/188
ISBN 2-87129-525-5

Conception graphique : Les Travaux d'Hercule
Traduit et adapté en français par Sébastien Gesell
Adaptation graphique : Eric Montésinos

Imprimé en Italie par G. Canale & C. S.p.A. - Borgaro T.se (Torino)